Bébés génies

De 0 à 12 mois

120 jeux pour stimuler
les capacités cérébrales de votre enfant

JACKIE SILBERG

Bébés génies

De 0 à 12 mois

120 jeux pour stimuler
les capacités cérébrales de votre enfant

Illustrations de Nancy Isabelle Labrie

Adaptation française d'Isabelle Allard

Guy Saint-Jean
ÉDITEUR

Catalogage avant publication de Bibliothèque et Archives Canada
Silberg, Jackie, 1934 -
Bébé génies 0-12 mois: 120 jeux pour stimuler les capacités cérébrales de votre enfant
Traduction de: *125 brain games for babies.*
Comprend des réf. bibliogr.
ISBN 978-2-89455-243-8
1. Aptitude chez le nourrisson. 2. Intelligence – Problèmes et exercices. 3. Apprentissage –
Problèmes et exercices. 4. Jeux éducatifs. 5. Nourrissons – Psychologie. I. Titre.
BF720.A24S5414 2007   155.42'239   C2007-940342-5

Nous reconnaissons l'aide financière du gouvernement du Canada par l'entremise
du Programme d'Aide au Développement de l'Industrie de l'Édition (PADIÉ)
ainsi que celle de la SODEC pour nos activités d'édition.

Gouvernement du Québec — Programme de crédit d'impôt
pour l'édition de livres — Gestion SODEC

Traduction : Isabelle Allard
Révision : Jeanne Lacroix
Conception graphique : Christiane Séguin
Illustrations : Nancy Isabelle Labrie, www.mainsreveuses.com
Dépôt légal – Bibliothèque et Archives nationales du Québec,
Bibliothèque et Archives Canada, 2007
ISBN 978-2-89455-243-8

Distribution et diffusion
Amérique : Prologue
France : Volumen
Belgique : La Caravelle S.A.
Suisse : Transat S.A.

Guy Saint-Jean Éditeur inc.
3154, boul. Industriel, Laval (Québec) Canada. H7L 4P7. (450) 663-1777.
Courriel : saint-jean.editeur@qc.aira.com • Web : www.saint-jeanediteur.com

Guy Saint-Jean Éditeur France
48 rue des Ponts, 78290 Croissy-sur-Seine, France. (1) 39.76.99.43.
Courriel : gsj.editeur@free.fr

Imprimé au Canada

Je dédie ce livre à tous les gens qui ont la chance
de passer du temps avec des bébés. La joie, la stimulation
et l'immense satisfaction que procure le fait d'aider
un jeune cerveau à « grandir » viendront enrichir votre vie.
Et surtout, donnez un gros bisou à votre bébé de ma part!

Remerciements

À mon éditrice, Kathy Charner:
ce livre est le huitième que nous publions ensemble,
et la merveilleuse amitié que nous avons établie
m'est très précieuse.

À Leah et Larry Rood,
propriétaires de la maison d'édition Gryphon House:
merci de votre soutien indéfectible
et de votre grande gentillesse.

À tout le personnel de Gryphon House:
merci de votre aide et de vos idées originales,
qui ont assuré le succès de mes livres.

Table des matières

Introduction...8

Introduction

Quel plaisir de jouer avec mon petit-fils de deux mois! Ses gazouillis et ses sourires me font fondre le cœur. Il adore se faire prendre, bercer et cajoler. Au début, ma réaction était de dire : « Comme il est adorable ! » et « Quel petit trésor ! » À présent, je perçois cela différemment. Il est toujours mon adorable petit trésor, mais je sais maintenant que les câlins, les caresses et les berceuses contribuent au développement de son cerveau.

Quand un enfant atteint l'âge de trois ans, son cerveau contient 1000 milliards de connexions, c'est-à-dire deux fois plus qu'un cerveau d'adulte. Certaines cellules cérébrales, appelées neurones, sont déjà reliées à d'autres cellules avant même la naissance. Ces neurones contrôlent le rythme cardiaque, la respiration et les réflexes de l'enfant, ainsi que d'autres fonctions essentielles à sa survie. Le reste des connexions cérébrales sont encore à faire.

Les connexions entre les neurones sont appelées synapses. Bien que diverses parties du cerveau se développent à des rythmes différents, de nombreuses études ont démontré que la période de production maximale des synapses s'étale de la naissance à l'âge de dix ans. Pendant cette période, les ramifications réceptives des cellules nerveuses, appelées dendrites, croissent et se joignent pour former des centaines de milliards de synapses. Une cellule peut être reliée à 10 000 autres. Le poids du cerveau triple, atteignant presque la taille d'un cerveau adulte. Les périodes de production synaptique intense dans des aires spécifiques du cerveau semblent correspondre au développement de comportements liés à ces zones cérébrales. Les chercheurs estiment que les stimulations auxquelles sont exposés les bébés et les bambins déterminent quelles synapses se forment dans leur cerveau, et par conséquent les circuits neuronaux qui sont créés.

Comment le cerveau détermine-t-il quelles connexions conserver? C'est ici que les expériences de la petite enfance jouent un rôle crucial. Lorsqu'une connexion est utilisée de façon répétitive dans les premières années de vie, elle devient permanente. Inversement, une connexion peu ou pas utilisée a peu de chances de subsister. Par exemple, un jeune enfant à qui on parle ou lit très peu risque d'avoir des difficultés en matière d'apprentissage langagier. Un enfant avec qui on ne joue pas souvent éprouvera peut-être des difficultés sur le plan de l'adaptation sociale. Le cerveau d'un bébé se développe en fonction de ses interactions avec son entourage. Il se transforme en organe rationnel et affectif à partir de ses expériences. Les circuits qui se forment dans le cerveau influencent le développement d'un enfant. Un bébé à qui l'on parle beaucoup dès la naissance apprendra probablement facilement à parler. Un nourrisson dont les gazouillis sont accueillis par des sourires plutôt que par de l'indifférence a plus de chances de s'épanouir sur le plan affectif.

En matière de fonctionnement du cerveau humain, les chercheurs ont appris davantage au cours des dix dernières années que dans les années qui ont précédé. La découverte que les expériences de la petite enfance influencent profondément le développement du cerveau a transformé la façon dont nous percevons les besoins des tout-petits.

Les recherches récentes ont permis de faire trois découvertes déterminantes. La première est que la capacité d'un individu d'apprendre et de s'épanouir dans diverses situations dépend de l'interaction entre la nature (héritage génétique) et l'éducation (soins, stimulation et formation). La deuxième est que le cerveau humain est conçu pour tirer parti des expériences et apprentissages survenant dans les premières années de vie. La troisième est qu'on peut apprendre tout au long de la vie, même si les possibilités et les risques sont plus élevés dans la petite enfance.

Introduction

La meilleure façon de favoriser les connexions cérébrales chez le bébé est de lui fournir ce dont il a besoin, en commençant par des parents et des éducateurs aimants et attentifs. Les bébés ont besoin de pouvoir explorer un environnement intéressant et sûr. Ils doivent être entourés de gens prêts à répondre à leurs besoins intellectuels et affectifs. Des personnes qui leur fredonneront des chansons, leur parleront, les cajoleront, les berceront, leur liront des histoires... Il ne s'agit pas de brandir des cartes éclair devant leurs yeux. Le but n'est pas de susciter un apprentissage précoce, mais plutôt de mettre en place les outils nécessaires à de futurs apprentissages. Lorsque le développement cérébral se produit au rythme voulu, les apprentissages ultérieurs ont toutes les chances d'être fructueux. Les jeux proposés dans ce livre ont pour objectif de développer la capacité cérébrale des bébés, en établissant des bases solides qui assureront la réussite de leurs futurs apprentissages. De plus, ils sont très divertissants!

La rédaction de ce livre a été une expérience très stimulante pour moi. Je crois que quiconque passe du temps en compagnie des tout-petits peut percevoir leurs incroyables capacités. La science fait aujourd'hui la preuve de ce que nous savions déjà instinctivement. Chaque fois que je joue avec un bébé, que je le vois agiter un trousseau de clés, frapper sur une table ou tendre le bras pour saisir un objet dans ma main, je me dis: «C'est formidable! Il est en train de former des connexions dans son cerveau!» J'espère que ce livre vous aidera à vivre une foule de moments formidables avec votre bébé.

La voix

Même une journée après leur naissance, les bébés reconnaissent la voix de leurs parents. Si vous avez tapoté votre ventre et parlé à votre bébé pendant votre grossesse, il connaît déjà le timbre de votre voix.

◆ ◆ ◆

Pendant que votre bébé est couché sur le dos, placez-vous à côté de son berceau et prononcez son nom.

◆

Continuez à répéter son nom jusqu'à ce qu'il bouge les yeux ou la tête en direction de votre voix.

◆

Déplacez-vous de l'autre côté du berceau et dites encore son nom.

◆

Massez-le doucement en souriant et en répétant son nom.

◆ ◆ ◆

Selon les chercheurs

Plus la stimulation se fait en douceur, plus la formation synaptique est élevée dans le cerveau du bébé.

Le bercement

◆◆◆

Tenez votre bébé dans vos bras et bercez-le.

◆

Tout en le berçant, répétez les mots:
«Je t'aime, mon bébé d'amour.»

◆

En prononçant la dernière syllabe du mot «amour»,
posez un baiser sur une partie de son corps
(le nez, la tête, les orteils...).

◆

Quand votre enfant sera plus grand, il vous
réclamera peut-être ce jeu.

◆

Ce jeu favorise la formation de liens affectifs.

◆◆◆

Selon les chercheurs

*Plus un bébé est cajolé, tenu et bercé,
plus il deviendra autonome et sûr de lui.*

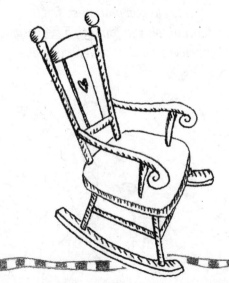

Le langage modulé

*Quand vous employez le langage modulé
pour parler à votre bébé, vous communiquez avec lui
et encouragez une réponse vocale, ce qui contribue
à développer les aptitudes langagières.*

◆ ◆ ◆

Répétez des phrases comme: «Tu es un beau bébé!» ou
«Quels jolis petits orteils!»

◆

Lorsque vous utilisez le langage modulé, tenez votre bébé
près de votre visage et regardez-le dans les yeux.

◆ ◆ ◆

Selon les chercheurs

*Les bébés réagissent favorablement
au langage enfantin ou modulé, c'est-à-dire
les sons aigus qu'utilisent les adultes
pour parler aux tout-petits.*

La musique

· · ·

Placez un lecteur de cassettes ou de CD près du berceau.

·

Choisissez de la musique douce instrumentale ou des berceuses.

·

Les mélodies répétitives sont très apaisantes pour un bébé,
car c'est le type de sons qu'il entendait avant de naître.

·

Enregistrez les sons de votre lave-vaisselle et faites-les
entendre à votre enfant. Ces sons sont similaires
à ceux qu'il percevait dans l'utérus.

◆ ◆ ◆

Selon les chercheurs

*Les nouveau-nés réagissent naturellement à la musique,
car ils ont été familiarisés avec le rythme, les sons
et les mouvements dans le ventre de leur mère.*

Le jeu du souffle

*Ce jeu aide le nourrisson à prendre conscience
des différentes parties de son corps.*

◆ ◆ ◆

Soufflez doucement sur les paumes du bébé.
Tout en soufflant, chantonnez les mots suivants :
Les petites mains de bébé (ou nom de l'enfant).

◆

Embrassez ensuite ses paumes.

◆

Soufflez sur d'autre parties de son corps. La plupart
des nourrissons aiment qu'on souffle sur leurs coudes,
leurs doigts, leur cou, leurs joues et leurs orteils.

◆ ◆ ◆

Selon les chercheurs

*Les expériences sensorielles et les interactions sociales
positives avec des adultes développent les habiletés
cognitives des enfants.*

15

Les câlins

*Communiquez avec votre enfant en le regardant
dans les yeux, en le tenant tout contre vous
et en répondant aux sons qu'il émet. Le fait de tenir
votre bébé contre vous aide à établir un lien affectif
sécurisant et essentiel à son développement.*

♦ ♦ ♦

Prenez-le dans vos bras et promenez-vous dans la pièce.

♦

Immobilisez-vous et regardez-le dans les yeux
en souriant, puis frottez votre nez contre le sien.

♦

Recommencez à marcher, puis arrêtez-vous
de nouveau. Répétez plusieurs fois.

♦ ♦ ♦

Selon les chercheurs

*En plus de le réconforter, le fait de toucher, tenir et cajoler
un bébé aide son cerveau à se développer.*

Doux bisous

La façon dont nous prenons soin des bébés peut avoir une profonde influence sur le type d'adultes qu'ils deviendront. Ce jeu aidera votre bébé à se sentir en sécurité.

◆ ◆ ◆

Chantonnez les mots suivants sur l'air de *Fais dodo* :
*Doux bisous, mon petit bébé
doux bisous, je t'aime beaucoup.
Doux bisous, mon petit bébé,
doux bisous, mon bébé tout doux.*

◆

Quand vous changez sa couche, vous pouvez chanter cette chanson en donnant des baisers sur son nez, ses orteils, ses doigts...

◆ ◆ ◆

Selon les chercheurs

La maîtrise des émotions dépend des premières expériences et liens affectifs.

La main

Ce jeu renforce les mains et les doigts du bébé.

◆ ◆ ◆

Tenez votre enfant sur vos genoux.

◆

Mettez votre index dans sa main.

◆

Il serrera probablement la main sur votre doigt,
car il s'agit d'un réflexe naturel chez les nouveau-nés.

◆

Chaque fois qu'il saisira votre doigt, encouragez-le
en disant : « Bravo ! Comme tu es fort ! »

◆

Ce jeu favorise également les habiletés de repérage visuel.

◆ ◆ ◆

Selon les chercheurs

*Le simple fait de tendre la main vers un objet favorise
le développement de la coordination main-œil.*

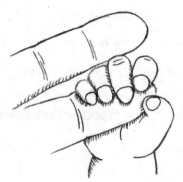

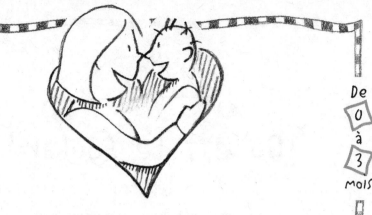

Bonjour, bébé

Lorsque votre nourrisson voit votre visage,
il est heureux.

◆ ◆ ◆

Dites ce qui suit en approchant votre visage du sien :
Bonjour, bébé joli
bonjour, bébé chéri !
Je touche ton petit nez
(touchez son nez)
j'embrasse ton petit nez !
(embrassez son nez)

◆

Répétez ce poème en changeant
les deux derniers vers pour inclure différentes
parties du visage (yeux, oreilles, joues, bouche).

◆ ◆ ◆

Selon les chercheurs

À la naissance, la perception visuelle du bébé
est à son maximum à une distance de 20 à 30 cm.

19

Où est le foulard ?

◆ ◆ ◆

Tenez un foulard aux coúleurs vives
devant votre enfant.

◆

Bougez-le lentement en décrivant
ses couleurs éclatantes.

◆

Quand vous avez attiré l'attention de l'enfant
sur le foulard, déplacez celui-ci lentement de côté.

◆

Continuez à le déplacer de droite à gauche
pour encourager votre bébé à le suivre des yeux.

◆

Répétez souvent ce jeu. Vous l'aiderez ainsi
à accroître sa capacité cérébrale.
Remarque : comme dans n'importe quel jeu,
soyez à l'affût de signes de fatigue indiquant
que l'enfant veut se reposer ou jouer à autre chose.

◆ ◆ ◆

Selon les chercheurs

*Les neurones visuels commencent à se former
au cours des premiers mois de vie. Les activités
qui stimulent la vision de l'enfant favorisent
le développement de la perception visuelle.*

Les expressions

Les bébés adorent regarder les visages,
surtout ceux des personnes qu'ils aiment.

◆ ◆ ◆

Montrez différentes expressions à votre enfant
et faites-lui entendre divers sons pour l'aider
à développer sa vision et son ouïe.

◆

Par exemple :
◆ Chantez en ouvrant très grand la bouche.
◆ Clignez des yeux.
◆ Tirez la langue.
◆ Faites des grimaces.
◆ Faites des bruits de lèvres.
◆ Toussotez ou bâillez.

◆ ◆ ◆

Selon les chercheurs

À l'âge de deux mois, les bébés peuvent
discerner les traits du visage.

21

Le hochet

• • •

Tenez un hochet devant votre bébé et agitez-le doucement.

•

Tout en l'agitant, chantez votre chanson préférée
en la ponctuant de sons de hochet.

•

Quand vous avez attiré l'attention de l'enfant sur le hochet,
déplacez celui-ci de côté et reprenez la chanson.

•

Continuez à déplacer le hochet à différents endroits
de la pièce et observez votre bébé qui bouge la tête
en direction du son.

•

Mettez le hochet dans sa main et chantez de nouveau.

•

Les bébés adorent entendre chanter. Plus tard,
quand votre enfant sera prêt à parler, il essaiera
d'imiter les sons qu'il a entendus.

• • •

Selon les chercheurs

*Le cerveau du bébé se développe en fonction
de ses interactions avec son entourage,
et se transforme en organe rationnel et affectif
à partir de ses expériences.*

Les chapeaux

*Votre visage est l'une des premières choses
que votre enfant reconnaît.*

◆ ◆ ◆

Jouez au jeu des chapeaux avec votre bébé. Il reconnaîtra
votre visage et vous stimulerez ainsi sa vision.

◆

Choisissez différents chapeaux. Placez-les sur votre tête
en répétant ces mots :
Beau chapeau, beau chapeau (secouez la tête
d'un côté et de l'autre)
Maman (Papa ou votre nom) *a un beau chapeau !*
(Même nom) *aime* (nom du bébé) *!*
Quand elle (il) *porte son beau chapeau !*

◆

Si vous n'avez pas beaucoup de chapeaux,
mettez un foulard ou un ruban
sur votre tête.

◆ ◆ ◆

Selon les chercheurs

*À un mois, un bébé peut voir
à un mètre de distance et est très
intéressé par ce qui l'entoure.*

23

Expériences sensorielles

En exposant votre bébé à diverses sensations,
vous l'aiderez à élargir sa conscience de lui-même
et du monde qui l'entoure.

◆ ◆ ◆

Essayez de frotter différents tissus sur ses bras.
Le satin, la laine et le tissu éponge sont
de bonnes matières pour débuter.

◆

Donnez l'occasion à votre enfant de respirer différentes
odeurs. Emmenez-le dehors sentir une fleur ou
faites-lui sentir une orange fraîchement coupée.
Remarque : attention de ne pas trop stimuler votre bébé.
Surveillez l'apparition de signes de fatigue.

◆ ◆ ◆

Selon les chercheurs

Le fait de voir et de sentir entraîne la production
de synapses dans le cerveau du bébé,
surtout si ces expériences sensorielles se produisent
dans un contexte rassurant, stable et prévisible.

Les ombres

*Les bébés se réveillent plusieurs fois durant la nuit.
Les ombres projetées sur le mur par une veilleuse peuvent
prendre des formes intéressantes à observer.*

◆ ◆ ◆

Si vous disposez un mobile de façon à ce qu'il projette
des ombres, vous favoriserez le développement
de la vision de votre enfant.

◆

Quand il sera plus grand, vous pourrez faire des jeux
d'ombres avec vos mains.

◆ ◆ ◆

Selon les chercheurs

*Les neurones visuels commencent à se former
autour de deux mois. La stimulation de la vision
favorise les connexions de ces neurones.*

Comme bébé

Si vous voulez mieux saisir la perspective qu'a votre enfant, essayez de vous mettre à sa place.

◆ ■ ◆

Explorez le monde comme le fait un bébé.

◆

Étendez-vous sur le dos et regardez autour de vous.

◆

Que sentez-vous ? Que voyez-vous ? Qu'entendez-vous ?

◆

Déplacez-vous à un autre endroit, puis écoutez, regardez et sentez.

◆

Ce genre d'activité vous procurera de nombreuses idées de jeux qui stimuleront le développement de votre enfant.

◆ ■ ◆

Selon les chercheurs

Des expériences affectives, physiques et intellectuelles positives sont essentielles au développement d'un cerveau sain.

26

Tour d'horizon

*En tournant votre enfant dans différentes directions,
vous l'aiderez à élargir sa conscience de l'espace
et à développer son sens de l'équilibre.*

◆ ◆ ◆

Tournez sur place en tenant votre bébé
de différentes façons:
◆ Tenez-le dans vos bras en supportant sa tête.
◆ Tenez-le en plaçant son dos contre vous.
◆ Transportez-le en le regardant dans les yeux.

◆

Tout en tournant dans différentes directions,
chantez des comptines.

◆ ◆ ◆

Selon les chercheurs

*Le fait de présenter différents champs visuels
aux bébés stimule la coordination main-œil
et l'équilibre, deux éléments essentiels
au déplacement à quatre pattes et à la marche.*

La bicyclette

• • •

Couchez votre enfant sur le dos et
faites bouger ses jambes comme s'il pédalait.
Remarque : ne forcez jamais l'enfant à faire un mouvement.
S'il résiste, passez à un autre jeu.

•

Chantez des chansons en faisant bouger ses jambes.
Par exemple :
Un, deux, trois, quatre, cinq, six, sept
Violette, Violette ! (ou nom de l'enfant)
Un, deux, trois, quatre, cinq, six, sept
Violette à bicyclette !
Ou encore, sur l'air de *C'est l'aviron* :
C'est le vélo qui nous mène, qui nous mène
c'est le vélo qui nous mène partout !

◆ ◆ ◆

Selon les chercheurs

Le cerveau du bébé se développe en fonction de ses
interactions avec son entourage, et se transforme en organe
rationnel et affectif à partir de ses expériences.

Les genoux

• • •

Étendez votre bébé sur le dos et tirez doucement
sur ses jambes pour qu'elles soient bien droites.

•

Tapotez légèrement la plante de ses pieds.

•

Il pointera les orteils vers le bas et pliera les genoux.

•

En même temps, chantez les mots suivants
sur l'air de *Savez-vous planter des choux* :
Mon bébé plie les genoux
à la mode, à la mode
mon bébé plie les genoux
à la mode de chez nous !

•

Terminez le vers en accentuant la syllabe finale.
Votre enfant s'y attendra chaque fois, ce qui rendra
le jeu encore plus amusant.

• • •

Selon les chercheurs

Il est important de renforcer les muscles des cuisses
des bébés pour les préparer à ramper et à marcher.

La langue

• • •

Prenez votre bébé dans vos bras.

•

Regardez-le dans les yeux en tirant la langue
et en faisant des bruits rigolos.

•

Rentrez la langue.

•

Recommencez avec des sons différents.

•

Les très jeunes bébés essaient souvent
de sortir leur propre langue.

• ◆ •

Selon les chercheurs

*Parler à un bébé entraîne la formation de synapses
entre les neurones auditifs et l'aire du cerveau
associée à l'ouïe.*

Les yeux

•••

Amusez-vous à regarder votre enfant dans les yeux.
Il vous fixera à son tour.

◆

Quand vous avez obtenu son attention,
modifiez l'expression de votre visage.
Souriez, faites un son ou plissez le nez.

◆

Observez la réaction de votre bébé.
Il écarquillera peut-être les yeux
ou se mettra à agiter les bras et les jambes.

◆ ◆ ◆

Selon les chercheurs

En communiquant avec votre bébé,
vous contribuez à la formation de connexions cérébrales
reliées aux aptitudes langagières.

31

Tons de voix

*Selon les études sur le cerveau, quand un bébé
entend une voix aiguë (comme le langage modulé
souvent utilisé par les parents),
son rythme cardiaque s'accélère, ce qui indique
un sentiment de joie et de sécurité.
Si vous lui parlez d'une voix plus grave,
votre bébé sera apaisé et satisfait.*

◆ ◆ ◆

Essayez de chanter avec une voix aiguë,
puis recommencez avec une voix plus basse.

◆

Observez la réaction de votre enfant
à ces tons de voix différents.

◆ ◆ ◆

Selon les chercheurs

*Lorsqu'ils sont dans le ventre de leur mère,
les bébés peuvent distinguer
la voix humaine.*

Bébé propre

*Chantez à votre bébé tout en changeant sa couche.
C'est une excellente façon de communiquer avec votre
tout-petit et d'établir des liens affectifs avec lui.*

◆ ◆ ◆

Souriez pendant que vous chantez.

◆

Choisissez n'importe quelle chanson, ou chantez
les paroles suivantes sur l'air de *Frère Jacques* :
*Change la couche, change la couche
comme ceci, comme cela !
Bébé est tout propre, bébé est tout propre
un, deux, trois et voilà !*

◆ ◆ ◆

Selon les chercheurs

*Chanter aux bébés contribue à la formation
de liens affectifs.*

Bavardage

◆ ◆ ◆

Parlez de tout et de rien à votre bébé.
Décrivez ce que vous faites lorsque vous vous
lavez les mains, vous habillez, etc.

◆

Récitez des poèmes et des comptines, chantez-lui
des chansons tout au long de la journée.

◆

De temps à autre, modifiez le ton de votre voix.
Essayez de parler d'une voix aiguë, basse,
chantante, douce.

◆ ◆ ◆

Selon les chercheurs

Plus vous parlez à votre enfant,
plus son cerveau formera des synapses importantes
pour l'apprentissage du langage.

La table à langer

*La table à langer est un bon endroit
pour stimuler les habiletés motrices.
Pourquoi ne pas donner à votre bébé des objets
intéressants à observer pendant que vous le changez?*

◆ ■ ◆

Suspendez un ballon au plafond, assez bas pour
que vous puissiez l'atteindre, mais hors de portée du bébé.

◆

Faites doucement osciller le ballon
pendant que vous le changez.

◆

Votre enfant sera fasciné par le ballon, et tendra
bientôt la main pour tenter de le toucher.

◆

Une fois la couche changée, prenez votre bébé
et laissez-le toucher le ballon.

◆

Vous pouvez aussi suspendre un mobile
où sont accrochées des photos
des membres de la famille.

◆ ■ ◆

Selon les chercheurs

*Les scientifiques ont récemment découvert
l'influence des expériences vécues
après la naissance
sur le « câblage » du cerveau humain.*

On tourne!

• • •

Couchez votre bébé sur le dos, sur une surface moelleuse.

•

Tenez une de ses jambes par la cheville et la cuisse,
et croisez-la sur l'autre jambe. Ne vous inquiétez pas,
car ses hanches et son torse suivront le mouvement.
Remarque: ne forcez pas le mouvement.

•

Remettez la jambe dans sa position initiale.

•

Faites la même chose avec l'autre jambe.

•

Tout en croisant ses jambes, répétez les mots suivants:
*Une jambe par ici
une jambe par là!
Tournicoti, tournicota!*

◆ ◆ ◆

Selon les chercheurs

*À la naissance, les bébés bougent leurs membres
de façon saccadée et incontrôlée. Le cerveau établit
peu à peu les circuits reliés aux habiletés motrices.*

En roulant

*Les gros ballons d'exercice sont d'excellents accessoires
à utiliser avec les nourrissons.*

◆ ◆ ◆

Une façon d'utiliser ce type de ballon est d'y placer
votre enfant à plat ventre, tout en le tenant bien
par les mains.

◆

Faites doucement rouler le ballon d'avant en arrière.

◆

Tout en faisant ce mouvement de va-et-vient, chantez
En roulant ma boule ou une autre chanson de votre choix.

◆

Ce mouvement de balancement est très apaisant
pour les bébés.

◆ ◆ ◆

Selon les chercheurs

*Des activités simples, comme le fait de bercer les bébés,
stimulent leur croissance cérébrale.*

Que vois-tu ?

Les bébés adorent regarder les visages et les jouets.

◆ ◆ ◆

Prenez plusieurs jouets de couleurs vives. L'un après l'autre, déplacez-les lentement de droite à gauche devant votre bébé, afin de stimuler sa vision.

◆

Cette période est aussi celle où les tout-petits découvrent leurs mains. Ils les regardent, les observent, pour finalement s'apercevoir qu'ils peuvent les faire apparaître et disparaître.

◆

Prenez les mains de votre enfant et frappez-les doucement l'une contre l'autre devant son visage, tout en disant les vers suivants :

Tape, tape les petites mains
Tape les mains tout doucement
Touche, touche les joues de maman (ou votre nom)
Tape les mains, content, content !

◆ ◆ ◆

Selon les chercheurs

Il est essentiel de stimuler la perception visuelle
au cours des six premiers mois de vie.

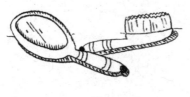

Le miroir

• • •

Asseyez-vous devant un miroir,
votre bébé sur vos genoux.

◆

Dites: «Qui est ce bébé?»

◆

Agitez la main de votre enfant en disant:
«Bonjour, bébé!»

◆

Dites: «Où est le pied du bébé?»

◆

Agitez son pied en disant: «Bonjour, pied!»

◆

Continuez à poser des questions et à faire bouger
différentes parties de son corps.

◆

Faites-lui hocher la tête, agiter la main, applaudir, etc.

◆ ◆ ◆

Selon les chercheurs

*L'énonciation de phrases courtes
accélère le développement du langage.*

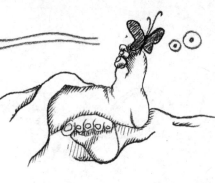

Toc toc toc

◆ ◆ ◆

À l'aide de votre index et de votre majeur,
tapotez doucement différentes parties de son corps,
en les nommant tour à tour.

◆

Répétez les mots suivants :
Toc, toc, toc
sur la joue de bébé (tapotez sa joue)
toc, toc, toc
sur la joue de bébé !
(prenez sa main et mettez-la sur sa joue)

◆

Recommencez avec différentes parties du corps.

◆

Faites ensuite ce jeu à l'envers : prenez les doigts du bébé
et faites-lui tapoter des parties de votre corps.

◆ ◆ ◆

Selon les chercheurs

*Les bébés doivent éprouver toutes sortes de sensations
tactiles pour se familiariser avec leur univers.*

Regarde

•••

Déterminez différents endroits intéressants à observer.

•

Les bébés sont heureux quand ils peuvent voir
des choses bouger.

•

Une machine à laver à chargement frontal ou un sèche-linge
avec hublot sont amusants à regarder pour les bébés.

•

Les fenêtres offrent souvent un spectacle intéressant.
Vous pouvez également vous asseoir dehors avec votre
enfant pour lui procurer encore plus de stimulation visuelle.
Regardez des oiseaux voleter d'un endroit à l'autre.
Regardez des voitures rouler dans la rue.
Regardez des branches d'arbres osciller au vent.

•

Prenez le temps de vous asseoir avec votre tout-petit
et de regarder avec lui. Le fait de vous avoir à ses côtés
lui procurera un sentiment de sécurité et lui permettra
de mieux savourer les merveilles qui l'entourent.

♦ ♦ ♦

Selon les chercheurs

*L'amour et l'affection prodigués à un enfant
constituent une stimulation émotionnelle positive
pour son cerveau.*

De
3
à
6
mois

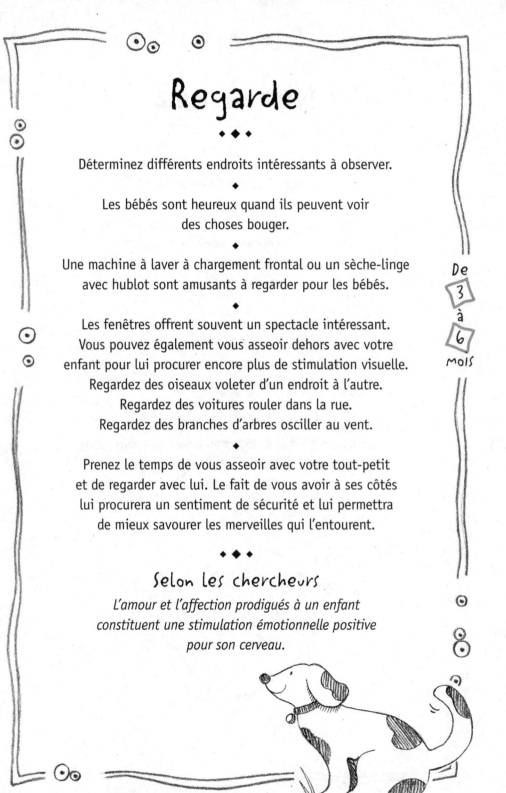

Nez à nez

• • •

Soulevez votre bébé dans les airs en disant :
« Nez, nez, touche le nez ! »

◆

Au mot « touche », baissez-le et frottez son nez
contre le vôtre.

◆

Recommencez.

◆

Après avoir joué à quelques reprises, répétez le mot
touche plus d'une fois, en touchant chaque fois son nez.
Par exemple : « Touche, touche, touche le nez ! »

• • •

Selon les chercheurs

*Les contacts physiques légers procurent une sensation
de sécurité aux bébés, ce qui les aide à devenir
sûrs d'eux et autonomes.*

Où est bébé?

Ce jeu renforce le dos et le cou.

◆ ◆ ◆

Étendez-vous sur le dos et couchez
votre bébé sur votre ventre.

◆

Placez vos mains sur sa poitrine et soulevez-le
pour l'amener à la hauteur de votre visage.

◆

Répétez les paroles et les gestes suivants :
Où est bébé ?
Ici ! (amenez-le jusqu'à votre visage)
Où est bébé ? (redescendez-le au-dessus de votre ventre)
Ici ! (ramenez-le à votre visage)
Où est bébé ? (ramenez-le à votre ventre)
En haut ! (soulevez-le très haut,
au-dessus de votre visage)

◆ ◆ ◆

Selon les chercheurs

*Le développement de la force et de l'équilibre
sont des étapes préparatoires au déplacement
à quatre pattes.*

De
3
à
6
mois

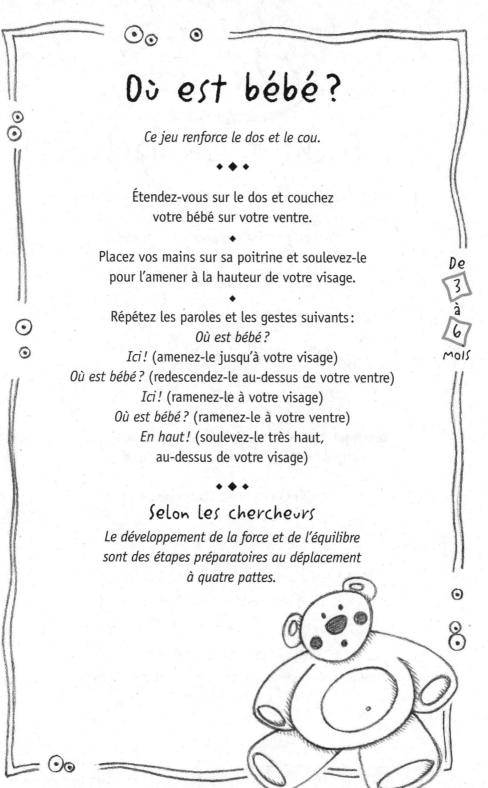

43

En haut, en bas!

Faites bouger les bras et les jambes de votre enfant pour
l'aider à développer ses muscles et sa coordination motrice.
Ce jeu est tout indiqué pour les moments
où votre bébé est couché sur le dos.

◆ ◆ ◆

De
3
à
6
mois

Levez et descendez doucement une de ses jambes
en répétant:
Pied en haut,
bravo!
Pied en bas,
hourra!
Remarque: ne forcez pas le mouvement. Si votre bébé
résiste, arrêtez et reportez ce jeu à plus tard.

◆

Recommencez avec l'autre jambe.

◆

Faites de même avec chacun de ses bras.

◆

Soulevez ensuite les deux pieds à la fois,
puis les deux bras en même temps.

◆ ◆ ◆

Selon les chercheurs

L'exercice physique aide le cerveau à établir les circuits
associés aux habiletés motrices.

En cadence

•••

Étendez votre bébé sur le dos, sur une surface ferme.

◆

En le tenant par les chevilles, pliez et allongez ses jambes
tout en chantant, sur l'air de *Scions du bois*:
Plie, plie, plie les genoux
en cadence, en cadence!
Plie, plie, plie les genoux
un, deux, trois, et on recommence!
Remarque: ne forcez pas le mouvement. Si votre bébé
résiste, arrêtez et reportez ce jeu à plus tard.

◆

Votre chanson captera l'attention du bébé, ce qui
contribuera à développer ses habiletés langagières.

◆ ◆ ◆

Selon les chercheurs
L'exercice renforce les grands muscles et
prépare le bébé à la marche.

De
3
à
6
mois

L'ascenseur

•••

Tenez les doigts de votre tout-petit et soulevez
doucement ses bras en répétant les mots suivants:
*L'ascenseur monte
en haut, en haut, en haut!
L'ascenseur descend
en bas, en bas, en bas!*

•

Levez ensuite ses jambes en répétant
la même comptine.

•

Terminez en le soulevant dans les airs.

•

Donnez-lui un baiser chaque fois
que vous le redescendez.

• • •

Selon les chercheurs

*Les liens affectifs étroits procurent un sentiment
de confiance aux tout-petits.*

De
3
à
6
mois

46

Babillage

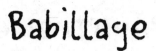

*À cet âge, les bébés émettent toute une variété de sons.
Imitez les sons qu'il fait. Ils se transformeront
plus tard en mots.*

◆ ◆ ◆

Utilisez les sons que prononce votre bébé, comme «ma» ou
«pa», et faites-en une phrase: «Maman (ou papa) t'aime!»

◆

De
3
à
6
mois

Comme l'explique Penelope Leach, une spécialiste
du développement de l'enfant: «Votre enfant peut émettre
des centaines de sons différents au cours d'une journée.
Mais si vous le félicitez et l'applaudissez lorsqu'il dit
«ma ma» ou «da da», il voudra répéter ces sons
pour obtenir votre approbation.»

◆

Plus vous répéterez les sons émis par votre enfant,
plus cela l'encouragera à babiller.

◆

Il s'agit en fait d'un début de conversation.

◆ ◆ ◆

Selon les chercheurs

*Un nourrisson dont les gazouillis sont accueillis par des
sourires a plus de chances d'être épanoui sur le plan affectif.*

Enregistrement

• • •

Enregistrez les babillages de votre enfant.

◆

Faites-lui écouter l'enregistrement et observez sa réaction.

◆

Est-ce que ces sons semblent l'exciter ?
Répond-il à l'appareil ?

◆

Si votre bébé aime écouter ces sons, essayez
de lui en faire écouter d'autres, comme
des sons qu'on retrouve dans la nature.

◆

Ces stimuli sensoriels favorisent l'apprentissage
de la parole.

• ◆ •

Selon les chercheurs

*Les bébés d'à peine quatre jours peuvent distinguer
une langue d'une autre, et seront bientôt en mesure
de remarquer certains sons importants.*

48

Dialogue

◆ ◆ ◆

Conversez avec votre enfant. Dites une courte phrase,
telle que : « Il fait beau, aujourd'hui ! »

◆

Lorsque votre bébé vous répond en babillant,
cessez de parler et regardez-le dans les yeux.

◆

Pendant qu'il parle, répondez par un hochement
de tête ou un sourire.

◆

Cela indiquera à votre enfant que vous l'écoutez
et appréciez les sons qu'il émet.

◆

Poursuivez avec une autre phrase. Cessez toujours
de parler pour écouter sa réponse.

◆

Quand vous faites voir à votre bébé que vous l'écoutez
et aimez l'entendre parler, vous l'aidez à développer
ses aptitudes langagières et sa confiance en lui.

◆ ◆ ◆

Selon les chercheurs

*Le nombre de mots qu'un bébé entend chaque jour
aura une influence sur son intelligence, ses relations
avec autrui et ses réussites scolaires.*

Les lèvres

À l'âge de trois mois, votre enfant émet peut-être
un grand nombre de sons. Quand vous lui répondez,
vous l'encouragez à parler davantage.

◆ ◆ ◆

Tout en répétant les sons qu'il fait,
placez ses doigts sur vos lèvres et laissez-le sentir
les mouvements de votre bouche et l'air qui en sort.

◆

Mettez vos doigts sur ses lèvres et
encouragez-le à produire d'autres sons.

◆ ◆ ◆

Selon les chercheurs
Les « conversations » contribuent à développer
le vocabulaire des bébés.

De
3
à
6
mois

50

Ba ba ba

• • •

Prenez n'importe quelle chanson et fredonnez-en
la mélodie en remplaçant les mots par un seul son.

♦

Choisissez un son que votre bébé émet, comme *ma* ou *ba*.

♦

Chantez en utilisant ce son et quelques mots.

♦ •

Par exemple, chantez ce qui suit
sur l'air de *Pomme de reinette* :
ba ba ba ba ba ba ba ba
d'api d'api rouge
ba ba ba ba ba ba ba ba
d'api d'api gris !

♦

D'autres chansons se prêtent bien à ce jeu :
Il était une bergère, Ainsi font, font, font,
Nous n'irons plus au bois et *Cadet Rousselle.*

♦

Plus vous répéterez les sons émis par votre enfant,
plus vous l'encouragerez à babiller.

♦ ♦ ♦

Selon les chercheurs

En parlant et en chantant
à un bébé, on accélère
considérablement le processus
d'apprentissage
de nouveaux mots.

De
3
à
6
mois

51

Petits pieds

Les bébés adorent agiter les pieds.
Cette activité développe les habiletés motrices.

◆ ◆ ◆

Attachez des objets colorés aux chevilles de votre enfant et regardez-le bouger ses pieds avec enthousiasme.

◆

Les chaussons de bébés ont souvent des couleurs vives qui fascinent les tout-petits.

◆

Prenez votre enfant dans vos bras et secouez un hochet ou des clochettes devant ses pieds.

◆

Montrez-lui comment donner des coups de pied à ces objets.

◆ ◆ ◆

Selon les chercheurs

La répétition de mouvements renforce les circuits neuronaux
entre les aires cérébrales associées à la pensée,
l'aire motrice et les nerfs reliés à la musculature.

Nounours

En aidant votre tout-petit à se retourner, vous favoriserez le développement des muscles de son torse et de ses bras. Ce jeu est amusant et encouragera votre bébé à se retourner.

◆ ◆ ◆

Placez-le sur le ventre, sur une surface douce et plane, comme un tapis ou un grand lit.

◆

Tenez un ours en peluche devant son visage. Répétez les mots suivants en faisant faire des cabrioles à l'ourson :
Le nounours saute en l'air
le nounours tombe par terre !

◆

Une fois que vous avez attiré l'attention de l'enfant, déplacez l'ourson de côté dans l'espoir qu'il le suive des yeux et se retourne pour continuer à le regarder.

◆

Répétez le poème en déplaçant l'ourson.
Si votre enfant se lasse, reportez le jeu à une autre journée.

◆ ◆ ◆

Selon les chercheurs

L'usage répété des muscles du torse et des bras procure aux bébés la force et la souplesse nécessaires pour se retourner.

De
3
à
6
mois

Et un, deux, trois, quatre!

•••

De
3
à
6
Mois

Tenez votre bébé dans vos bras, tout contre vous,
et déplacez-vous dans la pièce en chantant
vos chansons préférées. N'importe quelle chanson
peut convenir, du moment que vous avez du plaisir
à la chanter.

◆

Votre enfant sentira votre plaisir et cela
le rendra heureux.

◆

Essayez de marcher en cadence dans la pièce en disant:
«Et un, deux, trois, quatre!»

◆

Vous pouvez aussi faire de grands pas, vous balancer,
tourner, marcher sur la pointe des pieds, etc.

◆ ◆ ◆

Selon les chercheurs

*Chanter et danser avec votre bébé sont d'excellentes activités
pour l'aider à établir des circuits neuronaux.*

54

Au galop

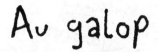

Les bébés adorent qu'on les fasse sauter.
Ce type de jeu a une influence importante sur
l'apprentissage de l'équilibre nécessaire à la marche.

◆ ◆ ◆

Vous pouvez faire sauter votre enfant sur vos genoux
de diverses façons: assis, couché à plat ventre
ou sur le dos... Vous pouvez aussi l'asseoir
et le faire osciller d'un côté et de l'autre.
Remarque: soutenez toujours bien votre bébé
quand vous le faites sauter.

De
3
à
6
mois

◆

Dites cette comptine traditionnelle
en le faisant sauter:
Je vais à Paris
sur mon cheval gris,
au pas, au pas
au trot, au trot
au galop, au galop!
(à Verdun sur mon cheval brun,
en Angleterre sur mon cheval vert...)

◆ ◆ ◆

Selon les chercheurs

Les balancements et les bonds sont des conditions préalables
au déplacement à quatre pattes.

Tchou tchou

• ◆ •

Tout en répétant les paroles qui suivent,
déplacez vos doigts le long du bras de votre bébé,
puis redescendez.
Tchou tchou tchou
le petit train s'en vient!
Tchou tchou tchou
le petit train s'en va!

◆

Faites la même chose sur l'autre bras.

◆

Prononcez le mot «tchou» de façon expressive, et votre
enfant sera bientôt en mesure de répéter ce son.

• ◆ •

Selon les chercheurs

Parler à un bébé de façon expressive encourage
la manifestation des émotions et entraîne la libération
de composés chimiques qui stimulent la mémoire.

La balançoire

Le mouvement d'une balançoire
est très attirant pour un bébé.
Si vous dites des poèmes ou chantez
en balançant votre bébé, il acquerra le sens du rythme
et établira d'importantes connexions cérébrales.

◆ ◆ ◆

Tenez votre enfant sur vos genoux
et balancez-vous en disant les mots suivants :
En arrière, en avant
en arrière, en avant !
On se balance
en chantant,
en arrière, en avant !

◆ ◆ ◆

Selon les chercheurs

Les tout-petits possèdent un grand nombre de gènes
et de synapses qui les prédisposent à l'apprentissage
de la musique

Tortillements

Les bébés se tortillent pour se déplacer. Ces mouvements
les préparent au déplacement à quatre pattes.

◆ ● ◆

De
3
à
6
mois

Placez votre enfant par terre, sur le ventre,
et étendez-vous sur le sol devant lui.

●

Déposez un jouet devant lui, tout juste hors de sa portée.

●

Faites bouger le jouet d'un côté et de l'autre (les balles
munies de clochettes sont parfaites pour ce jeu).

●

En se tortillant pour atteindre la balle,
il arrivera peut-être à se propulser en avant.

●

Donnez-lui le temps de saisir la balle et félicitez-le.

●

Ce genre d'exploit contribue à développer sa confiance.

◆ ● ◆

Selon les chercheurs

Les tortillements contribuent à la formation de synapses
qui joueront un rôle dans les habiletés motrices globales.

Pousse, pousse

• • •

Étendez votre enfant sur le ventre.

•

Placez-vous derrière lui et mettez vos mains
sur la plante de ses pieds.

•

Quand il sentira vos mains, il tentera de se propulser
en avant en poussant avec ses pieds.

•

Il s'agit d'un exercice préparatoire au
déplacement à quatre pattes.

•

Pendant que vous appuyez sur ses pieds,
répétez ce qui suit :
Pousse, pousse, pousse, sur les petits pieds !
Pousse, pousse, pousse, bébé va avancer !

◆ ◆ ◆

Selon les chercheurs

*Les exercices favorisant l'acquisition d'habiletés
motrices fines et globales peuvent se faire simultanément,
puisque ces dernières se développent
indépendamment les unes des autres.*

De
3
à
6
mois

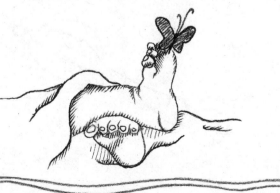

59

D'une main à l'autre

*Pendant cette période, votre bébé commencera
peut-être à transférer un objet d'une main à l'autre.
Vous pouvez l'aider à renforcer les circuits neuronaux
de son cerveau en l'encourageant à changer de main.
Ce jeu favorise la coordination main-œil
et l'acquisition d'habiletés motrices fines.*

De
3
à
6
mois

◆ ● ◆

Mettez un petit hochet dans l'une de ses mains.

●

Secouez la main qui tient le hochet.

●

Montrez-lui comment passer le hochet dans l'autre main :
Placez sa main vide sur le hochet, et il le saisira
automatiquement. Dépliez les doigts
de son autre main, en leur donnant un baiser.

◆ ● ◆

Selon les chercheurs

*La répétition de mouvements renforce les circuits neuronaux
entre les aires cérébrales associées à la pensée, la zone
motrice et les nerfs reliés à la musculature.*

La lumière

•••

Prenez une lampe de poche. Si vous le désirez, vous pouvez recouvrir l'extrémité de cellophane de couleur.

◆

Tenez votre bébé dans vos bras et allumez la lampe.

◆

Déplacez le faisceau lumineux de part et d'autre.
Votre enfant le suivra des yeux.

◆

Tout en déplaçant le point lumineux, chantez
sur l'air d'*As-tu vu la casquette ?* :
As-tu vu la lumière, la lumière ?
As-tu vu la lumière sur le mur ?

◆

Les tout-petits adorent ce jeu, qui leur permet d'établir d'importantes connexions cérébrales.

◆ ◆ ◆

Selon les chercheurs

Lorsqu'un nourrisson regarde des objets en mouvement,
un neurone de sa rétine se connecte à un neurone
dans l'aire visuelle du cerveau. Il est littéralement
en train de « câbler » sa vision. ☆

De
3
à
6
mois

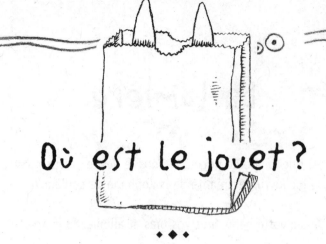

Où est le jouet ?

• • •

Montrez à votre bébé un jouet qu'il aime,
puis retirez-le de sa vue.

•

Encouragez l'enfant à le chercher. Posez-lui des questions
comme : « Où est le jouet ? Est-il dans le ciel ? »,
puis regardez vers le plafond.

•

Demandez-lui : « Est-il par terre ? » et regardez le sol.

•

Demandez-lui : « Est-il dans ma main ? Oui, le voici ! »

•

En grandissant, votre bébé commencera à chercher
le jouet quand vous le mettrez hors de sa vue.

•

Après cette étape, il suivra bientôt vos mouvements
lorsque vous cacherez le jouet.

• • •

Selon les chercheurs
*Les expériences vécues par un bébé
dans les premiers mois de sa vie ont une influence
définitive sur la structure de son cerveau
et sa future capacité cérébrale.*

De
3
à
6
mois

Jeux de miroir

Plus la perception visuelle du bébé s'accroît,
plus il a envie de voir.
Regarder dans un miroir est très amusant et procure
à l'enfant une autre perception de lui-même.

◆ ◆ ◆

Voici quelques activités à faire avec votre bébé
devant un grand miroir:
- Souriez.
- Bougez différentes parties du corps.
- Faites des grimaces et des bruits rigolos.
- Faites des bruits de lèvres.
- Imitez des cris d'animaux.
- Balancez-vous d'avant en arrière.

◆ ◆ ◆

Selon les chercheurs

Comme les neurones visuels commencent
à se former très tôt, les bébés ont besoin
d'expériences visuelles stimulantes.

De
6
à
9
mois

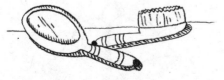

63

Les sons

•••

Faites entendre toutes sortes de sons à votre enfant.

•

Placez ses doigts sur vos lèvres pendant que vous produisez
différents bruits avec votre bouche :
- Faites des bourdonnements d'abeille.
- Fredonnez.
- Gonflez et dégonflez vos joues.
- Imitez le bruit d'une sirène.
- Toussez.
- Faites semblant d'éternuer.

•

Froissez différents types de papier. La cellophane et
le papier de soie produisent des sons intéressants.

• ◆ •

Selon les chercheurs

*Le rythme cardiaque des bébés s'accélère
quand leurs parents les regardent dans les yeux e
t leur parlent d'une voix mélodieuse.*

De
6
à
9
mois

Où est la musique?

La conscience auditive s'enrichit avec l'âge.

• ◆ •

Jouez à des jeux qui accroissent la conscience auditive
de votre enfant afin de l'aider à établir
des connexions cérébrales.

◆

Placez un jouet mécanique musical
hors de la vue de votre enfant.

◆

Remontez-le, puis demandez: «Où est la musique?»

◆

Quand l'enfant se tourne vers le son, félicitez-le.

◆

Recommencez ce jeu dans différentes parties de la pièce.

◆

Si votre bébé rampe, cachez le jouet sous un coussin
ou un autre endroit qu'il peut atteindre en rampant.

• ◆ •

Selon les chercheurs

*L'écoute de différentes pièces musicales
dans la petite enfance améliorera plus tard la faculté
de raisonnement abstrait, surtout en ce qui concerne
les concepts spatiaux.*

De
6
à
9
mois

Les casseroles

Vous pouvez enseigner plusieurs choses
à votre bébé en jouant avec des casseroles.

◆ ◆ ◆

Placez une casserole à l'envers sur le sol
et cachez un jouet dessous.

◆

Dites : « Un, deux, trois, coucou ! »
Soulevez la casserole pour révéler le jouet.

◆

Votre enfant sera ravi et voudra que vous recommenciez
encore et encore.

◆

Cachez ensuite le jouet et aidez votre bébé
à soulever la casserole.

◆

La prochaine étape est de remettre la casserole à l'endroit.
Montrez-lui comment faire, puis laissez-le essayer.

◆

Quand la casserole est à l'endroit,
prenez le jouet et laissez-le tomber dedans.

◆ ◆ ◆

De
6
à
9
mois

Selon les chercheurs

Les expériences positives
de la petite enfance déterminent
comment s'établiront les
circuits neuronaux complexes
du cerveau.

Rantanplan

Les bébés adorent tenir des objets dans leurs mains et les frapper contre une surface. En plus d'être divertissante, cette activité est excellente pour la coordination motrice.

◆ ◆ ◆

Donnez une cuillère de bois à votre enfant
et encouragez-le à la frapper sur le sol.

◆

Chantez en frappant vous-même une cuillère
pour marquer le rythme.

◆

Essayez de ponctuer le poème suivant de coups de cuillère:

*Rantanplan
rantanplan!
Mon petit tambour
rantanplan!*

◆ ◆ ◆

Selon les chercheurs

*L'utilisation des petits muscles moteurs
stimule la croissance cérébrale.*

67

Les maracas

• • •

Mettez des boutons dans un contenant de métal.
Fixez bien le couvercle avec du ruban adhésif
pour que votre enfant ne puisse pas l'ouvrir.

•

Secouez le contenant en écoutant les sons.
Votre bébé écarquillera les yeux d'excitation.

•

Donnez-lui le contenant et laissez-le l'agiter
pendant que vous chantez vos chansons préférées.

•

Chantez *La ferme à Mathurin* en agitant le contenant
et en faisant des bruits d'animaux avec votre enfant.
Rien ne peut être plus amusant pour un bébé !

•

De
6
à
9
mois

Vous pouvez aussi transformer des bouteilles de plastique
transparent en maracas. Votre tout-petit s'amusera
à regarder les cailloux et les boutons se déplacer
quand il les secoue.

•

Un jeu de cuillères à mesurer est un autre objet
amusant à secouer.

• • •

Selon les chercheurs

*Le Dr Edwin Gordon, une autorité en matière
de théorie de l'enseignement de la musique,
confirme que les bébés possèdent un grand nombre
de gènes et de synapses qui les prédisposent
à l'apprentissage de la musique.*

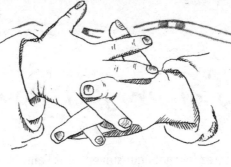

Un, deux

• • •

Récitez des comptines de votre invention
tout en posant la main de votre bébé
sur différentes parties de votre corps.

◆

Par exemple :
Un, deux, touche mes cheveux
neuf, dix, touche ma cuisse
rouge, bleu, touche mes yeux
noir, gris, touche mon nombril !

◆

Chaque fois que vous nommez une partie du corps,
prenez la main de l'enfant et mettez-la à cet endroit.

◆

Faites le jeu à l'envers, et touchez
les parties du corps du bébé.

◆ ◆ ◆

Selon les chercheurs

Les bébés ont besoin d'expériences tactiles
pour leur croissance cérébrale et corporelle.
Elles sont tout aussi vitales que les vitamines
et les éléments nutritifs.

De
6
à
9
mois

J'ai un joli pouce

•••

Chantez les mots qui suivent, sur l'air d'*À la volette*,
en touchant les doigts de votre bébé un à un.

J'ai un joli pouce
aussi un index
un majeur
un annulaire
un petit auriculaire
en tout, j'ai cinq doigts !

•

Au dernier vers, agitez la main de l'enfant.

•

Il réagira à votre contact et au son de votre voix.

◆ ◆ ◆

Selon les chercheurs

Les chansons et les jeux de doigts favorisent l'apprentissage
de la parole et sont essentiels au développement du cerveau.

De
6
à
9
mois

Le ballon

◆ ◆ ◆

Aussitôt que votre enfant peut s'asseoir,
essayez de faire rouler un ballon dans sa direction.

◆

Commencez avec un ballon mou ou une balle de tissu.

◆

Faites rouler le ballon doucement et montrez à votre bébé
comment l'attraper.

◆

Les tout-petits adorent ce jeu et sont très excités
de voir le ballon rouler vers eux.

◆

Chantez une chanson rythmée,
En roulant ma boule, par exemple.

◆

Ce jeu favorise la coordination motrice.

◆ ◆ ◆

Selon les chercheurs

*Chaque jeune cerveau forme à son propre rythme
les connexions neuronales et musculaires nécessaires
au passage à la position assise, au déplacement
à quatre pattes, à la marche et à la parole.*

De
6
à
9
mois

On saute

• • •

Asseyez-vous sur une chaise à dossier droit.
Croisez les jambes et faites asseoir votre bébé
sur vos chevilles.

♦

Tenez ses mains tout en bougeant vos jambes
de haut en bas.

♦

Chantez vos chansons préférées ou ce qui suit:
Sur le pont d'Avignon,
on y saute, on y saute,
sur le pont d'Avignon
on y saute comme des moutons!

♦ ♦ ♦

Selon les chercheurs

Un milieu réconfortant favorise la formation de circuits
cérébraux menant à un équilibre affectif, alors qu'une
exposition répétée au stress peut créer des connexions
associées à un sentiment de crainte.

De
6
à
9
mois

Touche la joue

Le fait de toucher votre bébé en lui parlant
contribue à établir une relation de confiance entre vous.

◆ ◆ ◆

Dites cette comptine à votre bébé :
Touche la joue (touchez sa joue)
touche le nez (touchez son nez)
touche la bouche qui veut manger ! (touchez sa bouche)
Touche les yeux (touchez ses yeux)
touche les oreilles (touchez ses oreilles)
un bécot sur les orteils ! (embrassez ses orteils)

◆

Ce jeu est excellent pour l'apprentissage de la parole
et l'établissement de liens affectifs.

◆ ◆ ◆

Selon les chercheurs

Les bébés dont on prend soin, qu'on cajole et
qu'on entoure d'affection sans toutefois les gâter,
ont plus de chances d'avoir plus tard
un comportement empathique.

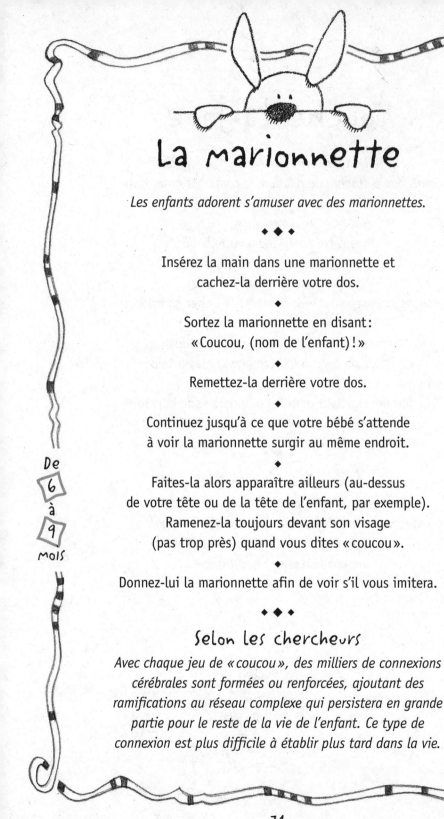

La marionnette

Les enfants adorent s'amuser avec des marionnettes.

◆ ◆ ◆

Insérez la main dans une marionnette et
cachez-la derrière votre dos.

◆

Sortez la marionnette en disant:
«Coucou, (nom de l'enfant)!»

◆

Remettez-la derrière votre dos.

◆

Continuez jusqu'à ce que votre bébé s'attende
à voir la marionnette surgir au même endroit.

◆

Faites-la alors apparaître ailleurs (au-dessus
de votre tête ou de la tête de l'enfant, par exemple).
Ramenez-la toujours devant son visage
(pas trop près) quand vous dites «coucou».

◆

Donnez-lui la marionnette afin de voir s'il vous imitera.

◆ ◆ ◆

De
6
à
9
mois

Selon les chercheurs

*Avec chaque jeu de «coucou», des milliers de connexions
cérébrales sont formées ou renforcées, ajoutant des
ramifications au réseau complexe qui persistera en grande
partie pour le reste de la vie de l'enfant. Ce type de
connexion est plus difficile à établir plus tard dans la vie.*

Coucou!

◆ ◆ ◆

Asseyez votre bébé sur le sol ou sur une chaise,
en face de vous.

◆

Mettez une serviette sur votre visage.

◆

Dites « coucou » en retirant la serviette
pour montrer votre visage à l'enfant.

◆

Ce jeu provoque généralement des éclats de rire.
Plus vous y jouerez, plus votre enfant s'amusera.

◆

Essayez de mettre la serviette sur sa tête, puis de l'enlever.

◆

Remettez-la sur sa tête pour voir s'il l'enlèvera lui-même.

◆

N'oubliez pas de dire « coucou » chaque fois
que vous enlevez la serviette.

◆ ◆ ◆

Selon les chercheurs

*Les jeux de cache-cache enseignent aux tout-petits
que les objets qui disparaissent peuvent réapparaître.
Un lien affectif sécurisant aidera votre enfant
à supporter les pressions de la vie quotidienne.*

De
6
à
9
mois

Où est la balle?

•••

Étendez-vous sur le sol avec votre enfant.

•

Prenez une balle (ou un autre jouet) dans votre main
et décrivez-la à l'enfant.

•

Cachez la balle (derrière une chaise,
dans votre poche, etc.).

•

Demandez: «Où est la balle?»

•

Sortez-la en disant: «Coucou!»

•

Continuez en changeant chaque fois de cachette.

◆ ◆ ◆

Selon les chercheurs

*Une étude universitaire a démontré que les jeux
et jouets traditionnels (cubes et perles de bois,
jeux de cache-cache, etc.) renforcent les facultés
cognitives, motrices et langagières.*

De
6
à
9
mois

Bruits rigolos

•••

Asseyez votre enfant sur une chaise en face de vous.

•

Placez une serviette devant votre visage.

•

Comptez jusqu'à trois à haute voix.

•

À trois, enlevez la serviette et faites des bruits rigolos.
Par exemple :
Hou !
Houhou !
Claquements de langue
Bruits de lèvres, baisers

•

Votre bébé rira aux éclats.

•••

Selon les chercheurs

*Les activités comme les jeux de cache-cache
sont des éléments préparatoires à l'acquisition du langage
et familiarisent le bébé à la communication directe.*

De
6
à
9
mois

77

Petit bébé

•◆•

Répétez les phrases et les gestes suivants :
Petit bébé (ou nom de l'enfant),
dans ton berceau (couchez-le dans vos bras)
Petit bébé, fais un dodo (bercez-le)
Petit bébé, dis oui, oui, oui (bougez doucement sa tête)
Petit bébé, je te souris (approchez votre visage et souriez)
Petit bébé, je suis parti (mettez votre main sur vos yeux)
Petit bébé, je suis ici (écartez les doigts)
Petit bébé, turlututu ! (enlevez votre main)
Petit bébé, je suis revenu ! (serrez-le dans vos bras)

•◆•

Selon les chercheurs

Parler à un enfant dès son plus jeune âge
favorise l'acquisition du langage.

De
6
à
9
mois

Jeux de cache-cache

Il existe toute une variété de jeux de cache-cache,
qui plaisent aux tout-petits.
Le plus populaire consiste à cacher votre visage
avec vos mains, puis à les retirer.
Ce jeu fait comprendre au bébé que même
s'il ne vous voit pas, vous êtes toujours là.
Il s'agit d'un jeu important pour établir des circuits
neuronaux et stimuler la croissance cérébrale.

◆ ◆ ◆

Voici d'autres façons de faire « coucou » :
- Placez les mains de l'enfant devant son visage,
  puis enlevez-les.
- Tenez un bout de tissu (une serviette, un vêtement)
  entre vous et l'enfant.
- Sortez la tête de côté ou par le haut en disant coucou.
- Placez le tissu sur votre tête, puis enlevez-le.

◆ ◆ ◆

Selon les chercheurs

Des jeux simples comme faire « coucou » ou
« tape la galette » inculquent à l'enfant des règles complexes,
lui enseignant entre autres à attendre son tour
et à réagir conformément aux attentes.

De
6
à
9
mois

Chanson coucou

◆ ◆ ◆

Utilisez la chanson *Frère Jacques* pour jouer à faire coucou.

◆

Couvrez-vous les yeux quand vous chantez «dormez-vous?».

◆

En chantant «Sonnez les matines», prenez les mains du bébé et tirez-le doucement vers le haut

◆

À «ding, dang, dong», levez et descendez les bras de votre enfant comme s'il faisait sonner des cloches.

◆ ◆ ◆

Selon les chercheurs

De nouvelles synapses se forment et les connexions existantes se renforcent grâce aux jeux de cache-cache.

De
6
à
9
mois

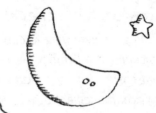

Coucou, me voilà!

*À partir du moment où les bébés
prennent conscience de leur environnement,
leurs facultés visuelles ne cessent de s'améliorer.*

◆ ◆ ◆

Jouez à cache-cache avec votre enfant.

◆

Dissimulez-vous partiellement derrière une chaise ou une
porte. Laissez toujours paraître une partie de votre corps.

◆

Répétez les phrases suivantes :
Je suis caché !
Peux-tu me trouver ?
Est-ce que tu me vois ?
Coucou, me voilà !

◆

En prononçant la dernière phrase, montrez-vous
même si votre enfant ne vous a pas trouvé.

◆

L'expression joyeuse sur son visage
quand il parvient à vous trouver vous donnera envie
de jouer encore et encore à ce jeu.

◆ ◆ ◆

Selon les chercheurs

*Les jeux interactifs préparent les tout-petits
à établir de futures relations plus complexes.*

Comme un citron

Les jouets à presser sont très amusants
pour les tout-petits. Ceux faits de caoutchouc souple
sont plus faciles à comprimer.

◆ ◆ ◆

Votre bébé développe ses habiletés motrices fines
lorsqu'il comprime des jouets avec ses mains.

◆

S'il a de la difficulté, mettez votre main sur les siennes
et aidez-le à presser. Une fois qu'il aura compris
le mouvement, il pourra le répéter lui-même.

◆

Voici une petite comptine pour accompagner ce jeu:
Pressons, pressons
le p'tit caneton (le p'tit poisson)
pressons, pressons
comme un citron!

◆ ◆ ◆

Selon les chercheurs

Les activités qui font appel aux petits muscles exercent un
effet positif sur les zones motrices du cerveau.

De
6
à
9
mois

Les petits trésors

*De nombreuses activités permettent d'exercer
la motricité fine de votre bébé.*

◆ ◆ ◆

Donnez-lui toutes sortes de petits objets sans danger
pour lui. Laissez-le jouer avec des cuillères à mesurer,
des balles et des petits jouets.

◆

Mettez un objet dans sa main et encouragez-le
à le laisser tomber.

◆

Donnez-lui un contenant où mettre ses trésors.
Il les déposera à l'intérieur, puis les ressortira.

◆

Encouragez-le à vous donner un objet, puis redonnez-le-lui.

◆

Vérifiez s'il est capable de tenir deux objets
dans une seule main.

◆ ◆ ◆

Selon les chercheurs

*Bien qu'elles se fondent sur les mêmes bases physiques,
les habiletés motrices fines et globales
se développent indépendamment les unes des autres
et s'acquièrent petit à petit.*

De
6
à
9
mois

Les textures

Les jeux qui encouragent la coordination main-œil
sont importants, car ils stimulent la formation
de circuits neuronaux.

◆ ◆ ◆

Rassemblez des morceaux de tissu
(laine, coton, velours, satin, etc.).

◆

Asseyez-vous sur le sol avec votre bébé
et placez un bout de tissu à sa portée.
Félicitez-le lorsqu'il tend la main pour le saisir.

◆

Une fois qu'il l'a touché, nommez le tissu et mettez-le dans
sa main. Décrivez sa texture : « C'est du velours. C'est doux. »

◆

Votre enfant ne comprendra pas tous les mots, mais
associera le ton de votre voix à la texture du tissu.

◆ ◆ ◆

Selon les chercheurs

Par le biais de diverses interactions, les bébés développent
le réseau de cellules cérébrales qui leur permettra
de s'apaiser eux-mêmes.

De
6
à
9
mois

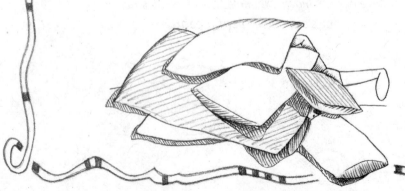

84

Petits pois

Les bébés aiment manger avec leurs doigts. Il s'agit d'une
étape importante pour l'acquisition de la motricité fine.
Lorsque les tout-petits peuvent saisir la nourriture
et la mettre dans leur bouche, cela leur donne
un sentiment de contrôle et d'autonomie.

◆ ◆ ◆

Placez des carottes et des petits pois cuits
sur la table devant votre enfant.

◆

Chantez, sur l'air de *Dans la forêt lointaine* :
Petits pois et carottes
je mange, je grignote !
Carottes et petits pois
je mange avec les doigts !
miam, miam, miam, miam,
miam, miam, miam, miam, miam, miam ! (bis)

◆

Guidez ses doigts vers les légumes, puis jusqu'à sa bouche.
Il voudra probablement vous en faire manger aussi !

◆ ◆ ◆

Selon les chercheurs

Les activités qui font appel à la coordination main-œil
aident à développer le système cérébral.

De
6
à
9
mois

You!

*Les mouvements combinés à la musique stimulent
les deux hémisphères du cerveau.*

• ◆ •

Prenez votre enfant dans vos bras
et déplacez-vous dans la pièce en chantant:
*Dansons la capucine,
y'a pas de pain chez nous.
Y'en a chez la voisine,
mais ce n'est pas pour nous.
You!*

◆

Au mot « You! », levez le bébé dans les airs,
puis redescendez-le pour lui donner un baiser.

• ◆ •

Selon les chercheurs

*Les câlins et les caresses stimulent le cerveau des bébés
et entraînent la libération d'hormones importantes
pour leur croissance.*

De
6
à
9
mois

Chantons

D'après une étude universitaire, l'exposition
à la musique permet de reconnecter
des circuits neuronaux dans le cerveau.

◆ ◆ ◆

Chantez vos chansons préférées à votre tout-petit.

•

Peu importe la chanson choisie, il aimera entendre les mots,
même s'il ne les comprend pas tous.

•

Si la chanson comporte un mot familier que votre bébé
connaît, chantez-le plus fort que les autres.

•

Au lieu de chanter, répétez les mots de la chanson en
prenant différents tons de voix: doux, fort, aigu, chuchoté...

•

Que vous chantiez ou prononciez les mots,
le rythme adopté entraînera la formation de connexions
dans le cerveau de l'enfant.

De
6
à
9
mois

◆ ◆ ◆

Selon les chercheurs

Plus un enfant est exposé tôt à la musique et aux chansons,
plus sa capacité d'apprentissage sera élevée.
Les enfants à qui l'on parle et chante beaucoup
s'expriment généralement avec aisance à l'âge de trois ans.
Les enfants privés de telles expériences auront
du mal à maîtriser le langage à l'âge adulte.

Journée chantée

Plus votre bébé est exposé au langage,
plus les zones cérébrales correspondantes se développent.

◆ ◆ ◆

Inventez une chanson à propos de la journée
qui vient de s'écouler. Racontez ce que vous avez fait
sur une mélodie de votre cru.

◆

Décrivez en chansons le moment de se lever,
de s'habiller, de manger, de sortir, etc.

◆

Vous pouvez aussi parler des autres membres de la famille
dans vos chansons. Chantez à propos des grands-parents,
des frères et sœurs, des animaux familiers.

◆

Ces «conversations musicales» fourniront
une base d'apprentissage à votre enfant.

◆ ◆ ◆

Selon les chercheurs

Les chansons familiarisent les tout-petits
avec les modes d'expression de la langue et favorisent
le développement des facultés sensorimotrices.

De
6
à
9
mois

Chansons tendres

Nul besoin d'être un chanteur de talent
pour chanter à votre bébé. La douceur de votre voix
le calmera et contribuera à établir
un merveilleux lien entre vous.

◆ ◆ ◆

Trouvez des berceuses et des chansons tendres
à fredonner à votre enfant. Il trouvera,
que ce soit le cas ou non, que vous avez
la plus belle voix du monde.

◆ ◆ ◆

Selon les chercheurs

Les bébés et leurs parents sont biologiquement conçus
pour former un lien d'attachement. Ce lien s'intensifiera
peu à peu au cours de la première année
grâce aux gazouillements, regards et sourires.

De
6
à
9
mois

89

Bonne nuit

◆ ◆ ◆

Bercez votre enfant en chantant *Fais dodo*,
Ferme tes jolis yeux ou *Au clair de la lune*, ou encore
en fredonnant la berceuse de Brahms.

◆

Couchez tendrement votre bébé dans son lit.

◆

Frottez son dos et embrassez-le
en lui disant bonne nuit.

◆ ◆ ◆

Selon les chercheurs

*Le fait de bercer et cajoler un bébé le réconforte
et favorise sa croissance cérébrale.*

De
6
à
9
mois

Les clés

Les clés sont un jouet dont raffolent les bébés.
Elles font du bruit et sont faciles à tenir.
Les tout-petits s'amusent à les laisser tomber.

◆ ◆ ◆

Tenez les clés dans votre main et dites :
« Un, deux, trois, les clés vont tomber ! »

◆

Laissez tomber les clés sur le sol,
en vous assurant que votre enfant vous observe.

◆

Mettez ensuite les clés dans sa main. Répétez la phrase
en dépliant ses doigts pour faire tomber les clés.

◆

Après quelques reprises, il saura le faire seul
et prendra plaisir à ce jeu.

◆

Cette activité est excellente pour perfectionner
la motricité fine.

◆ ◆ ◆

Selon les chercheurs

L'utilisation des petits muscles moteurs
stimule la croissance cérébrale.

De
6
à
9
mois

Les éponges

Voici un jeu tout indiqué pour l'extérieur,
près d'une pataugeoire ou d'un grand bac d'eau.

◆ ◆ ◆

Mettez quelques éponges dans l'eau et montrez à votre bébé
comment les tordre pour en faire sortir l'eau.

◆

Aspergez vos mains, vos bras ou d'autres parties
de votre corps avec l'une des éponges.

◆

Donnez à l'enfant des gobelets de plastique
et montrez-lui comment comprimer les éponges
pour faire couler l'eau dans les gobelets.

◆

Ce jeu l'occupera de longs moments et favorisera
l'acquisition de la motricité fine.

◆

Dites des mots rigolos en pressant les éponges.
Par exemple : *glou, glou,*
flic, flac, pschit, plic, plic

◆ ◆ ◆

Selon les chercheurs

Chaque nouvelle habileté motrice doit être répétée de
nombreuses fois afin de renforcer les circuits neuronaux.

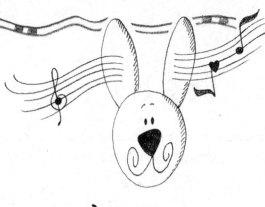

L'écoute

Plus votre enfant sera exposé au langage,
plus il s'exprimera avec aisance.

◆ ◆ ◆

Faites-le participer le plus possible aux conversations familiales. Durant les repas, le fait d'entendre les autres discuter lui enseignera de nombreux mots.

◆

Souvenez-vous que même s'il ne peut pas prononcer les mots, il est possible qu'il les comprenne.

◆

Écoutez la radio en variant les émissions. L'écoute de programmes musicaux et de bulletins d'information lui permettra d'entendre différents sons et timbres de voix.

◆

Votre enfant tentera de répondre à ce qu'il entend. Encouragez-le et conversez avec lui.

◆ ◆ ◆

Selon les chercheurs
Les pauses entre les mots aident les bébés
à se concentrer sur les sons du langage.

De
6
à
9
mois

Les livres

Réservez une période chaque jour pour feuilleter des livres.
L'heure du coucher est toujours un bon moment.

◆ ◆ ◆

Choisissez des livres aux phrases courtes
et aux illustrations simples.

◆

Laissez votre enfant tenir le livre et tourner les pages.

◆

Nommez les images. Vous lirez l'histoire plus tard.

◆

Parlez de tout ce qui semble intéresser votre bébé.
Il se peut qu'une image lui rappelle autre chose.
Abordez différents sujets en utilisant
beaucoup de mots descriptifs.

◆

Surtout, répétez, répétez, répétez. Votre enfant
voudra lire le même livre à maintes reprises, sans se lasser.
Plus vous répéterez les mêmes mots,
plus son cerveau en tirera profit.

◆ ◆ ◆

Selon les chercheurs

L'acquisition des sons est le premier pas vers la parole,
mais ce n'est qu'un pas. Pour décoder le langage,
il faut reconnaître les mots.

De
6
à
9
mois

Les coussins

*C'est inévitable : votre bébé va commencer à ramper
et à grimper partout ! Pourquoi ne pas l'aider
à développer ses grands muscles moteurs ?*

◆ ◆ ◆

Empilez des coussins et des oreillers sur le sol.

◆

Placez votre enfant devant cette pile
et laissez-le s'en donner à cœur joie.

◆

Déposez un de ses jouets sur un coussin.
Cela l'encouragera à grimper.

◆ ◆ ◆

Selon les chercheurs

*Chaque jeune cerveau forme à son propre rythme
les connexions neuronales et musculaires
qui lui permettront de se déplacer à quatre pattes
et de grimper.*

De
6
à
9
mois

Le langage des signes

*De nombreuses recherches ont été menées
sur l'enseignement du langage des signes aux bébés.*

◆ ◆ ◆

Par exemple, lorsque vous lisez un livre à votre tout-petit,
vous pouvez nommer un objet dans l'image
tout en faisant le signe correspondant. Cela aide l'enfant
à établir un lien entre le mot et l'image.

◆

Voici trois signes simples à enseigner à votre bébé :
◆ Chat : caressez le dos de votre main
avec la paume de l'autre main.
◆ Poisson : ouvrez et refermez la bouche comme un poisson.
◆ Oiseau : agitez les bras de haut en bas,
comme si vous voliez.

◆

Les chansons où ces mots sont présents,
comme *La ferme à Mathurin*, *La mère Michel*,
À *la volette* et *Les poissons sont assis*, sont un bon moyen
de renforcer l'apprentissage de ces signes.

◆ ◆ ◆

Selon les chercheurs

*Le cerveau peut apprendre tout au long de la vie,
mais aucune autre période n'est aussi prolifique
que la petite enfance.*

Le gazon

Jouer dehors par une belle journée est une merveilleuse façon d'éprouver de multiples expériences sensorielles.

◆ ◆ ◆

Laissez votre enfant ramper sur le gazon.
Rampez vous-même à ses côtés.

◆

Nommez chaque objet qui semble attirer son attention.

◆

Faites-lui respirer des fleurs, chatouillez-le
avec un brin d'herbe, cherchez des insectes, etc.
Il y a tant de choses à explorer dans le jardin !

◆

Il est amusant de rouler sur le gazon. Votre bébé appréciera
le léger picotement de l'herbe sur sa peau.

◆ ◆ ◆

Selon les chercheurs

*Les expériences vécues dans la petite enfance
exercent une influence considérable sur les ramifications
complexes des circuits neuronaux.*

De
9
à
12
mois

Tic-tac

*Chercher la source d'un bruit
est un jeu idéal pour accroître la conscience auditive.
Ce type de jeu doit prendre place dans les premières années
de l'enfant pour renforcer les connexions neuronales.*

◆ ◆ ◆

Trouvez une horloge ou un réveil à remontoir
qui produit un son bien distinct.

◆

Montrez le réveil à votre bébé et répétez cette comptine,
en accélérant peu à peu le rythme:
*La pendule fait tic... tac, tic... tac!
Le réveil fait tic-tac, tic-tac!
La montre fait tique-taque, tique-taque!*

◆

Cachez le réveil sous un coussin.

◆

Demandez à votre enfant: «Où est le tic-tac?»

◆

Aidez-le à trouver le réveil en se guidant au moyen du son.
Une fois qu'il aura compris le fonctionnement de ce jeu, il
voudra y jouer à maintes reprises.

◆ ◆ ◆

Selon les chercheurs

*Le cerveau d'un enfant peut distinguer tous les sons
possibles dans n'importe quel langage. À l'âge de dix mois,
les tout-petits ont appris à filtrer les sons étrangers et à se
concentrer sur ceux de leur langue maternelle.*

De
9
à
12
mois

Dedans, dehors

*La compréhension des concepts spatiaux
(dedans/dehors, en haut/en bas, devant/derrière)
est importante pour le développement cérébral.
Les activités ludiques qui mènent à cette compréhension
seront bénéfiques à votre enfant plus tard.*

◆ ◆ ◆

Commencez par dedans/dehors.

◆

Prenez un grand sac de papier
et placez un jouet à l'intérieur.

◆

Aidez votre enfant à trouver le jouet et à le sortir du sac.

◆

Remettez le jouet dans le sac et continuez le jeu.

◆

Inventez une chanson rigolote.
Répétez-la en modifiant votre voix chaque fois
que vous remettez le jouet dans le sac.

◆ ◆ ◆

Selon les chercheurs

*Les expériences vécues dans la petite enfance déterminent
comment s'établiront les circuits cérébraux.*

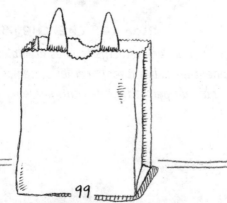

De
9
à
12
mois

99

Les photos

• • •

Regardez des photographies avec votre enfant.

◆

Trouvez la photo d'un membre de la famille.

◆

Décrivez cette photo en nommant la personne.
Répétez son nom et demandez à votre enfant
de désigner la personne dans la photo.

◆

Couvrez la photo de votre main et demandez-lui
de trouver la personne.

◆

Continuez avec une autre photo.

◆

Le degré de compréhension de votre bébé
vous surprendra peut-être !

◆ ◆ ◆

Selon les chercheurs

Les liens affectifs tendres et chaleureux
aident les bébés à renforcer les systèmes biologiques
qui leur permettent de contrôler leurs émotions.

De
9
à
12
mois

Bébé caché

• • •

Réunissez plusieurs photos de bébés
et cachez-les à différents endroits.

•

Choisissez des endroits que connaît votre enfant :
le coffre à jouets, la table à langer, sa chaise haute, etc.

•

Demandez-lui de trouver le bébé.

•

Posez-lui des questions : « Où est le bébé ?
Dans l'évier ? Sur la chaise ? »

•

Finalement, nommez l'endroit où la photo est cachée :
« Est-il dans le coffre à jouets ? »

•

Quand votre enfant trouve la photo, félicitez-le.

•

Vous pouvez faire cette activité avec des photos
de membres de la famille ou d'amis.

• • •

Selon les chercheurs

*Les études confirment que le type de contact qu'on établit
avec un bébé et les expériences qu'on lui fait vivre
auront une influence sur son développement affectif
et ses capacités d'apprentissage.*

De
9
à
12
mois

101

Je touche

*Cette comptine aidera votre enfant
à identifier les parties du corps.*

◆ ◆

Dites d'abord la comptine
en désignant les parties de votre corps.

◆

Prenez ensuite les mains du bébé
et faites-lui toucher les parties de son corps.
Je touche...
mes yeux et mes cheveux
mon cou et mes genoux
mon menton et mon bedon
mes oreilles et mes orteils!

◆ ◆

Selon les chercheurs

*Les contacts physiques facilitent
la digestion des bébés et les apaisent.*

De
9
à
12
mois

Papa est tombé!

• • •

Asseyez votre bébé sur vos genoux, face à vous.

•

Récitez la comptine suivante
en le faisant sauter sur vos genoux :
*Papa, maman et oncle Timothée
s'en vont à cheval au marché.
Papa est tombé* (en tenant bien votre enfant,
faites semblant de tomber d'un côté)
maman est tombée (faites semblant
de tomber de l'autre côté)
mais oncle Timothée a continué !

• • •

Selon les chercheurs
*Les liens affectifs solides influencent les systèmes
biologiques qui permettent au bébé de s'adapter au stress.*

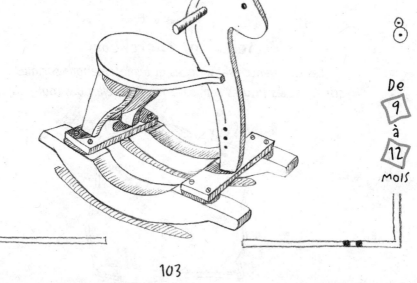

De
9
à
12
mois

103

Je me lave

*Les débarbouillettes ou gants de toilette mouillés
sont très amusants pour les bébés. Ceux-ci apprécient
leur texture et leur contact sur leur peau,
particulièrement sur le visage.*

◆ ◆ ◆

Jouez à faire coucou avec une débarbouillette
quand vous donnez le bain à votre enfant.

◆

Cachez un petit jouet dans le gant de toilette
et laissez-le y glisser les doigts pour le trouver.

◆

Donnez-lui la débarbouillette
et laissez-le vous laver le visage.

◆

Chantez ce qui suit, sur l'air d'*Ainsi font, font, font* :
*Ainsi font font font
les petites débarbouillettes* (ou les petits gants de toilette)
*ainsi font font font
lavent le front et le menton !*

◆ ◆ ◆

Selon les chercheurs

*Les expériences sensorielles et les interactions sociales
stimulent les futures capacités intellectuelles des tout-petits.*

De
9
à
12
mois

La grenouille

•••

Voici une comptine amusante à réciter
lorsque vous donnez le bain à votre bébé :
Une grenouille, nouille, nouille
qui se croyait belle
elle monte à l'échelle
(faites grimper deux doigts le long de son bras)
monte jusqu'en haut (grimpez sur sa tête)
et puis saute à l'eau !
(laissez tomber votre main dans l'eau
en faisant un gros plouf)

◆

Refaites les mêmes gestes, mais cette fois avec le savon,
une débarbouillette ou un gant de toilette.

◆

Vous pouvez aussi mimer la comptine
à l'aide d'un jouet sur le bord de la baignoire.

◆ ◆ ◆

Selon les chercheurs

L'acquisition des habiletés langagières est favorisée
par l'exposition constante au langage parlé.

De
9
à
12
mois

Les glaçons

Voici une bonne activité pour l'heure du bain.

• • •

Remplissez un gobelet de glaçons.

•

Donnez un autre gobelet à votre enfant.

•

Laissez tomber un glaçon dans l'eau du bain
et voyez s'il peut le repêcher avec son gobelet.

•

Ce jeu est très amusant, car il devra
pourchasser le glaçon dans l'eau avec son gobelet.

•

S'il a trop de difficulté, montrez-lui comment s'y prendre.

•

Vous pouvez aussi déposer un glaçon dans sa main pour
qu'il le laisse tomber lui-même, avant de le repêcher.

• • •

Selon les chercheurs

*Les scientifiques n'ont que récemment découvert
l'influence des expériences vécues après la naissance
sur le «câblage» du cerveau humain.*

De
9
à
12
mois

106

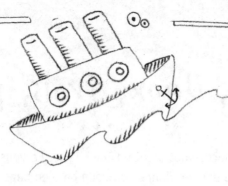

Le bateau

*Ce jeu à pratiquer dans la baignoire contribue
à instaurer un sentiment de confiance chez l'enfant.*

◆ ◆ ◆

Prenez place dans la baignoire avec votre bébé.
En le tenant fermement, guidez-le dans l'eau
comme s'il était un bateau.

◆

Tout en le déplaçant à la surface de l'eau, chantez:
*Rame, rame, rame donc
le tour du monde* (bis)
*rame, rame, rame donc
le tour du monde, nous ferons!*

◆

D'autres chansons se prêtent bien à ce jeu:
*Il était un petit navire, Le petit voilier, C'est l'aviron,
À Saint-Malo, beau port de mer, Partons, la mer est belle*
ou *Maman, les petits bateaux.*

◆ ◆ ◆

Selon les chercheurs

*Les bébés qui ne bénéficient pas de soins attentifs
et aimants risquent d'être dépourvus des circuits cérébraux
nécessaires à l'établissement de liens affectifs étroits.*

De
9
à
12
mois

Un, deux, trois, ping!

•••

Placez-vous à côté d'une chaise. En vous tenant
au dossier, donnez un coup de pied dans les airs.

•

Encouragez votre enfant à vous imiter.

•

Dites: « Un, deux, trois, ping! » Comptez d'une voix douce
jusqu'à trois, puis dites le mot « ping » d'une voix forte
en projetant votre jambe dans les airs.

•

Votre bébé s'amusera d'entendre le mot « ping »
et prendra plaisir à donner des coups de pied dans le vide.
Cette activité contribue à développer la force musculaire.

•

Vous pouvez projeter votre pied en avant,
de côté, vers l'arrière.

• ◆ •

Selon les chercheurs

*L'utilisation répétée des muscles leur procure force
et souplesse. Le tonus musculaire ainsi acquis est essentiel
au développement du système nerveux.*

De
9
à
12
mois

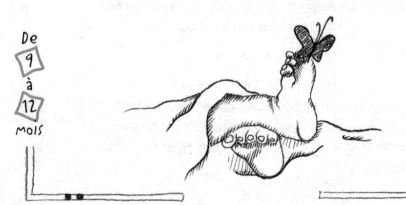

108

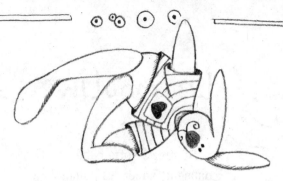

Oh, oh, oh!

*Voici un bon exercice d'étirement qui permet également
d'apprendre le nom des parties du corps.*

• • •

Levez vos bras dans les airs, puis inclinez-vous
pour aller toucher vos orteils.
Encouragez votre enfant à vous imiter.

•

Tout en exécutant ces mouvements, dites :
Les mains en haut, oh, oh, oh !
Les mains sur les pieds, hé, hé, hé !

•

Répétez plusieurs fois, puis recommencez
en nommant une autre partie du corps :
Les mains en haut, oh, oh, oh !
Les mains sur les genoux, hou, hou, hou !

• • •

Selon les chercheurs

*Les connexions entre les neurones sont appelées synapses.
Bien que diverses parties du cerveau se développent
à des rythmes différents, de nombreuses études
ont démontré que la période de production maximale
des synapses s'étale de la naissance à l'âge de dix ans.*

De
9
à
12
mois

Le moulin

•••

Montrez à votre bébé
comment fermer ses poings.

◆

Prenez ses poings et faites-les tourner
l'un par-dessus l'autre.

◆

Tout en les tournant, chantez *Meunier, tu dors,*
en accélérant peu à peu le rythme.

◆

Vous pouvez aussi réciter la comptine suivante :
Tourne, tourne, petites mains
tourne, tourne, petit moulin
lentement
rapidement
vite, vite, vite !

◆

Terminez le jeu par un câlin et un baiser.

◆◆◆

Selon les chercheurs

Les liens affectifs solides ont une fonction protectrice,
puisqu'ils influencent les systèmes biologiques
qui permettent au bébé de s'adapter aux pressions
de la vie quotidienne.

De
9
à
12
mois

Bouffonneries

Certaines activités permettent à votre enfant
d'accroître sa conscience du monde qui l'entoure.

◆ ◆ ◆

Asseyez-vous sur le sol face à votre bébé.

◆

Faites toutes sortes de bouffonneries
en l'encourageant à vous imiter. Par exemple :
◆ Faites des grimaces.
◆ Sortez votre langue en émettant des bruits rigolos.
◆ Tournez la tête dans différentes directions
(de haut en bas, d'un côté et de l'autre).
◆ Martelez votre poitrine avec vos poings en poussant des cris.
◆ Imitez des cris d'animaux.
◆ Couchez-vous sur le dos et agitez les pieds dans les airs.
◆ Mettez-vous à quatre pattes et aboyez comme un chien.

◆

Après quelques répétitions, refaites ces mouvements
avec votre bébé devant un miroir. Le fait de se voir
en train de faire ces gestes augmentera son plaisir
et lui procurera une autre perception de lui-même.

◆ ◆ ◆

Selon les chercheurs
L'expression d'émotions libère des composés chimiques
qui stimulent la mémoire.

De
9
à
12
mois

Les anneaux

Les jouets d'anneaux à empiler procurent
toutes sortes de possibilités de jeux d'éveil.

◆ ◆ ◆

En tenant compte des habiletés et du stade
de développement de votre enfant, encouragerez-le
à exécuter les gestes suivants :
◆ Empiler les anneaux du plus grand au plus petit,
du plus petit au plus grand, dans le désordre.
◆ Lancer les anneaux.
◆ Enfiler les anneaux sur ses doigts.
◆ Mettre les anneaux dans sa bouche.
◆ Faire tourner les anneaux.

◆

Tous les jouets offrent une foule de possibilités. Aidez votre
enfant à découvrir différentes façons de s'en servir.

◆ ◆ ◆

Selon les chercheurs

Pour aider le cerveau d'un bébé à se développer,
il faut lui procurer un cadre enrichissant et stimulant
sur les plans affectif et intellectuel.

De
9
à
12
mois

112

Hue, dada!

Si votre enfant aime se promener sur votre dos,
il adorera ce jeu.

◆ ◆ ◆

Asseyez-le sur vos épaules, les jambes pendant en avant,
ou bien prenez-le sur votre dos,
ses mains entourant votre cou.

◆

Tenez ses mains en vous déplaçant. Répétez ce qui suit:
Je galope, je galope dans la pièce
je galope, je galope à toute vitesse!

◆

Variez les mouvements: sautillez, tournez en rond,
reculez, trottez, etc.

◆

Ce type d'activité permet de renforcer le sens de l'équilibre.

◆ ◆ ◆

Selon les chercheurs

Le fait de toucher
et cajoler un bébé
a des effets bénéfiques
sur sa digestion.

De
9
à
12
mois

Une poule sur un mur

•••

Répétez cette comptine populaire
en faisant sauter votre bébé sur vos genoux:
Une poule sur un mur
qui picotait du pain dur
picoti, picota,
lève la queue et saute en bas!

•

Au dernier vers, écartez les genoux et,
en le tenant fermement, laissez-le glisser jusqu'au sol.

•

Faites-lui tenir son animal en peluche préféré
pendant le jeu. Cela lui donnera peut-être l'idée
de reprendre ce jeu avec sa peluche.

◆ ◆ ◆

Selon les chercheurs

Les chansons, les mouvements et les jeux musicaux
de l'enfance sont d'excellents exercices neurologiques
qui familiarisent les bébés avec les modes d'expression
tout en développant leur mobilité et
leurs habiletés sensorimotrices.

De
9
à
12
mois

Le menton

• • •

Couchez votre enfant sur le dos
et touchez son menton du doigt.

♦

Dites le mot « menton » et touchez votre propre menton.

♦

Touchez son menton avec le vôtre, puis répétez ce mot.

♦

Reprenez cette activité avec différentes parties du corps.

♦

Le visage, le nez, les joues et la tête
se prêtent bien à ce jeu.

♦

Le fait d'aider votre tout-petit à comprendre
que son corps est similaire au vôtre
accroîtra sa conscience de ce qui l'entoure.

♦ ♦ ♦

Selon les chercheurs

*La majeure partie du développement cérébral des bébés
se produit après la naissance. Les expériences qu'ils vivent
ont un effet déterminant sur la structure de leur cerveau.*

De
9
à
12
mois

Imite-moi

*Le développement des habiletés motrices globales
contribue à l'établissement de connexions neuronales.*

◆ ◆ ◆

Faites un geste et demandez à votre bébé de vous imiter.
S'il ne comprend pas votre requête, faites bouger son corps
pour reproduire vos mouvements.

◆

Vous pouvez aussi vous regarder dans un grand miroir
pendant cette activité.

◆

Voici quelques suggestions de mouvements :
◆ Marcher à pas de géant
(si l'enfant ne marche pas, le faire à quatre pattes).
◆ Marcher à petits pas.
◆ Décrire de grands cercles avec un bras.
◆ Faire de même avec l'autre bras.
◆ Tenir un grand ballon de plage, le laisser tomber,
puis le ramasser.

◆ ◆ ◆

Selon les chercheurs

*La plupart des scientifiques s'entendent pour dire que le
développement moteur survient lorsque le cerveau a établi
les circuits nécessaires à une tâche. C'est aussi ce qui se
produit pour les pinsons et les moineaux, qui ne chantent
pas s'ils n'ont pas appris à le faire dès leur éclosion.*

De
9
à
12
mois

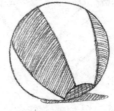

116

Oh! hisse!

Votre enfant raffolera de ce jeu
qui fait travailler les muscles des bras.

◆ ◆ ◆

Asseyez-vous sur le sol en face de lui.

◆

Prenez une extrémité d'un long foulard
et donnez-lui l'autre bout.

◆

Commencez à tirer doucement, et montrez-lui
comment tirer à son tour.

◆

S'il se met à tirer fort, laissez-vous tomber.
En général, les bébés trouvent cela hilarant.

◆

Cette activité est excellente pour renforcer les muscles.

◆ ◆ ◆

Selon les chercheurs

En développant leurs muscles et leur coordination,
les bébés se préparent à des habiletés plus exigeantes,
comme la marche.

De
9
à
12
mois

Les rythmes

• • •

Donnez des cuillères ou des bâtonnets de bois à votre bébé.

•

Asseyez-le dans sa chaise haute, sur le sol ou tout autre endroit offrant une surface qu'il peut frapper.

•

Munissez-vous également de cuillères de bois.

•

Chantez des chansons comme *J'ai perdu le do*, *Cent crocodiles* et *Jamais on n'a vu, vu, vu* en marquant le rythme à coups de cuillères.

•

Encouragez votre bébé à vous imiter.

•

Chantez plus vite, en accélérant le rythme des cuillères. Ralentissez et frappez plus lentement.

•

Votre bébé s'amusera à vous observer et commencera à différencier les rythmes.

◆ ◆ ◆

Selon les chercheurs

L'exposition précoce à la musique favorise la capacité de raisonnement spatio-temporel et la compréhension des concepts mathématiques.

De
9
à
12
mois

Drôles de voix

*Dans sa progression vers l'acquisition du langage,
votre enfant découvrira les différents sons
qu'il peut produire avec sa bouche.*

◆ ◆ ◆

Choisissez une chanson qu'il aime entendre.

◆

Chantez-la de diverses manières : en chuchotant,
en fredonnant, en prenant une voix aiguë, etc.

◆

Plus votre enfant entendra cette chanson,
plus il tentera de vous imiter et perfectionnera
ainsi ses habiletés langagières.

◆ ◆ ◆

Selon les chercheurs

*Les chansons, les mouvements et les jeux musicaux
de l'enfance sont d'excellents exercices neurologiques
qui familiarisent les bébés avec les modes d'expression
tout en accroissant leur mobilité.*

De
9
à
12
mois

Chat, chat, chat

La musique sensibilise au rythme du langage.

◆ ◆ ◆

Asseyez votre bébé sur vos genoux, face à vous
(de préférence sur le sol).

◆

Chantez la chanson suivante en tenant ses mains.
Jamais on n'a vu, vu, vu
jamais on ne verra, ra, ra
la queue d'une souris, ris, ris
dans l'oreille d'un chat, chat, chat!

◆

Prononcez les trois dernières syllabes de chaque vers
un peu plus fort, en tapant les mains de l'enfant
l'une contre l'autre.

◆ ◆ ◆

Selon les chercheurs

Les études révèlent que les nourrissons démontrent une
grande aptitude musicale dès la naissance. Ils sont dotés
d'un grand nombre de gènes et de synapses qui les
prédisposent à l'apprentissage de la musique.

De
9
à
12
mois

Oui, oui, oui!

*Les chansons qui parlent d'émotions peuvent aider
votre bébé à se familiariser avec le langage
et l'expression des émotions.*

• • •

Chantez les paroles suivantes, sur l'air de *Frère Jacques* :
*Es-tu content, es-tu content ?
Oui, oui, oui ! (bis)
Tu fais des sourires, tu fais des sourires
à maman, à maman !
Es-tu triste, es-tu triste ?
Oui, oui, oui ! (bis)
Tu as un gros chagrin, tu as un gros chagrin
ne pleure pas, ne pleure pas !*

•

Adoptez une expression qui reflète l'émotion en question.
Inventez des paroles pour incorporer d'autres émotions,
ou encore des habiletés motrices comme marcher,
sauter, courir, etc.

• • •

Selon les chercheurs

*Parler, lire et chanter à un bébé entraîne la formation de
connexions cérébrales qui persisteront tout au long de sa vie.*

De
9
à
12
mois

Premiers sons

*Les premiers sons qu'émettra votre enfant
seront probablement les consonnes p, m, b et d.
Quand vous répondez à ces sons,
vous l'encouragez à recommencer.*

◆ ◆ ◆

Imitez votre enfant et répétez les sons qu'il produit.

◆

Chantez en remplaçant les paroles des chansons
par ces sons.

◆

Parlez-lui d'une voix aiguë (langage modulé).
Il vous écoutera encore plus attentivement.

◆

Enregistrez ses premiers babillages. Vous aurez
grand plaisir à les réécouter dans quelques années.

◆ ◆ ◆

Selon les chercheurs

*Les sons aigus captent l'attention des tout-petits.
Un débit lent et une énonciation soignée
facilitent leur compréhension des mots.*

De
9
à
12
mois

Un p'tit pouce

• • •

Chantez ce qui suit en faisant bouger les parties
du corps désignées :
Un p'tit pouce qui marche (ter)
et ça suffit pour s'amuser !
Deux p'tits pouces qui marchent (ter)
et ça suffit pour s'amuser !
(une p'tite main, un p'tit bras, une épaule, un p'tit pied...)

•

Vous pouvez choisir d'autres chansons
qui désignent les parties du corps, comme
Mon merle ou *Savez-vous planter des choux,*
en mimant chaque fois les gestes.

•

En plus d'être divertissantes, ces chansons favorisent
l'acquisition du langage.

• • •

Selon les chercheurs

Un enfant à qui on parle souvent aura plus de chances
de manier le langage oral avec aisance.

De
9
à
12
mois

Répétition

L'imitation vient naturellement aux bébés.

◆ ◆ ◆

Vous avez probablement déjà demandé à votre enfant
de répéter après vous : « Que fait le chien ? Ouaf ! Ouaf ! »

◆

Prononcez un mot et encouragez-le à le répéter.

◆

Choisissez des mots qu'il connaît, en commençant
par ceux d'une seule syllabe.

◆

Chaque fois qu'il répète ce que vous dites,
félicitez-le et faites-lui un câlin.

◆

Certains mots sont plus faciles que d'autres :
bébé, maman, papa, chat, dodo, toutou, etc.

◆ ◆ ◆

Selon les chercheurs

*Le fait de parler aux bébés les aide
à acquérir un vocabulaire étendu.*

De
9
à
12
mois

Les dents

Voici un jeu dont les bébés raffolent.

◆ ◆ ◆

Montrez à votre enfant à ouvrir sa bouche
et montrer ses dents.

◆

Sortez la langue et voyez s'il vous imite.

◆

Passez votre langue sur vos dents d'en haut.

◆

Récitez la comptine suivante :
Dans ma belle écurie (désignez votre bouche)
dormaient vingt chevaux blancs (désignez vos dents)
Un taureau rouge est sorti (sortez la langue)
pour les lécher, le gourmand ! (léchez vos dents du haut)

◆

Répétez la comptine en désignant les dents
et la langue de votre enfant.

◆

Encouragez-le à sortir sa langue et à lécher ses dents.

◆ ◆ ◆

Selon les chercheurs

*L'amour des parents est un lien puissant.
Les façons dont s'exprime cet amour
affecteront la formation des synapses
dans le cerveau de l'enfant.*

De
9
à
12
mois

125

Monsieur Pouce

Ce jeu populaire fait voir aux tout-petits
que les surprises peuvent être amusantes.

◆ ◆ ◆

Fermez le poing en insérant le pouce sous les autres doigts.

◆

Dites ce qui suit:
Toc, toc! Monsieur Pouce, es-tu là?
(cognez sur votre poing avec l'autre main)
Chut! Je dors! (posez votre doigt sur vos lèvres)
Toc, toc! Monsieur Pouce, es-tu là?
(frappez encore sur votre poing)
Oui! Je sors! (faites sortir votre pouce)

◆

Pour terminer, ouvrez les deux mains
en agitant les doigts et chatouillez votre enfant.

◆

Recommencez en l'encourageant à faire lui-même les gestes:
cogner sur votre poing, poser son doigt sur vos lèvres.

◆

Vous pouvez ensuite lui montrer à fermer son poing
et à faire apparaître son pouce.

◆ ◆ ◆

Selon les chercheurs

S'amuser avec des cubes, dessiner et jouer à faire semblant
sont des activités qui favorisent l'acquisition du langage et
des concepts mathématiques, éveillent la curiosité et
développent la capacité de résolution de problèmes.

De
9
à
12
mois

La poussette

•••

Emmenez votre enfant dehors et faites-lui découvrir
le monde qui l'entoure. Même s'il y a beaucoup de choses
à voir, aidez-le à se concentrer sur un détail à la fois.

•

Promenez-le dans sa poussette, en vous arrêtant
pour lui montrer des objets intéressants.

•

Arrêtez-vous devant un arbre et décrivez ses branches
et ses feuilles. Laissez votre enfant toucher les feuilles.

•

Cherchez des oiseaux ou des écureuils dans l'arbre.

•

Limitez-vous à trois ou quatre «découvertes»
durant la promenade.

•

Recommencez souvent cette activité, en désignant toujours
les mêmes objets avant d'en ajouter de nouveaux.

•••

Selon les chercheurs

*Grâce à la tomographie par émission de positons,
les scientifiques ont pu découvrir que l'aire
du cerveau dédiée à la mémoire
est pleinement développée
autour de dix mois.*

De
9
à
12
mois

127

L'heure du conte

*Les bébés s'intéressent aux images et à la forme des livres.
Ils aiment les manipuler et les feuilleter.*

◆ ◆ ◆

Lire des histoires à votre enfant
est un merveilleux cadeau à lui faire.

◆

Désignez une image et décrivez-la.
Si vous lui montrez plusieurs fois la même image,
il finira par apprendre le nom de l'objet illustré.

◆

Demandez-lui : « Où est le (objet en question) ? »
Voyez s'il peut le désigner dans l'illustration.

◆

Laissez-le manipuler, laisser tomber, feuilleter les livres.
Ce type d'expérience ouvre la voie à l'apprentissage
du langage et de la lecture, tout en vous procurant
des moments précieux avec votre tout-petit.

◆

Lisez-lui le même livre maintes et maintes fois.

◆ ◆ ◆

Selon les chercheurs

*L'aventure du langage débute avant la naissance,
quand le fœtus est dans le ventre de sa mère
et entend sa voix.*

De
9
à
12
mois

L'épicerie

Aller à l'épicerie avec votre enfant
peut être une expérience très agréable
si vous faites de cette sortie une occasion spéciale.

• • •

Voici quelques activités à faire avec votre bébé à l'épicerie :
• Désignez les images et les mots sur les boîtes de nourriture.
• Montrez-lui les aliments qu'il mange à la maison.
• Nommez les différents fruits et légumes.
• Laissez-le prendre des aliments et les mettre
dans le chariot.
• Décrivez les aliments que vous achetez :
froid, croquant, lourd, mou, etc.

• • •

Selon les chercheurs

Le vocabulaire d'un individu est en grande partie
déterminé par les mots qu'il a entendus
au cours des trois premières années de sa vie.
Le cerveau identifie les sons qui composent les mots,
avant d'établir des connexions qui lui permettront
d'aller puiser dans cette banque de sons
à mesure que le vocabulaire s'étendra.

De
9
à
12
mois

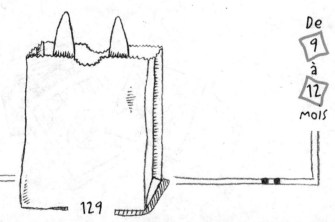

129

Les sourires

*Les histoires associées aux émotions sont
plus marquantes que les autres. Voici un jeu
qui encourage l'expression des sentiments.*

◆ ◆ ◆

Feuilletez des magazines pour trouver des photographies
d'enfants qui rient ou sourient (en couleur, de préférence).

◆

Collez ces photos sur un grand carton
et regardez-les avec votre enfant.

◆

Décrivez les sentiments exprimés dans ces photos.
Un visage souriant s'imprimera dans la mémoire de votre
tout-petit, et entraînera la formation de nouvelles synapses.

◆

En regardant les photos, chantez
(n'importe quelle chanson!) en souriant.

◆ ◆ ◆

Selon les chercheurs

*Les scientifiques ont découvert que les enfants
ont plus de facilité à se souvenir d'histoires
qui les ont touchés.*

De
9
à
12
mois

Bibliographie

Livres

CAINE, Geoffrey, et Renate CAINE, *Making connections: Teaching and the Human Brain*, 1994, Chicago, Addison-Wesley.

CARNEGIE CORPORATION OF NEW YORK, *Starting points: Meeting the Needs of Our Youngest Children*, 1994, Chicago, Addison-Wesley.

KOTULAK, Ronald, *Inside the Brain: Revolutionnary Discoveries of How the Mind Works*, 1996, Kansas City, Andrews and McMeel.

SHORE, Rima, *Rethinking the Brain: New Insights into Early Development*, 1997, New York, Families and Work Institute.

SYLWESTER, Robert, *A Celebration of Neurons: An Educator's Guide to the Human Brain*, 1995, Alexandria, Association for Supervision and Curriculum Development.

Vidéos

• *10 Things Every Child Needs*, McCormick Tribute Foundation.

• *Common Miracles: The New American Revolution in Learning*, Peter Jennings et Bill Blakemore, ABC News Special, 60 minutes.

• *I am Your Child: The First Years Last Forever*, Rob Reiner, animateur, 29 minutes.

• *Your Child's Brain*, ABC-20/20.

Bibliographie

Articles

ADLER, Eric, « Baby Talk : Babies Learn Language Early in Surprinsingly Sophisticated Ways », *Kansas City Star,* 12 Novembre 1995.

BEGLEY, Sharon, « Mapping the Brain », *Newsweek,* Avril 1992.

BEGLEY, Sharon, « Your Child's Brain : How Kids are Wired for Music, Math and Emotions », *Newsweek,* 19 février 1999, p. 55-58.

BEGLEY, Sharon, « How to Build a Baby's Brain », *Newsweek,* Printemps/Été 1997, Édition Spéciale p. 12-32.

BROWNLEE, Shannon, « Baby Talk », *U.S. News and World Report,* 15 juin 1998, 48-55.

JABS, C., « Your Baby's Brain Power », *Working Mother Magazine,* p. 24-28.

NASH, Madeline, « Fertile Minds », *Time,* 3 février 1997, p. 48-63.

SCHILLER, Pam, « Brain Development Research : Support and Challenges », *Child Care Information Exchange,* Septembre 1997.

SIMMONS, Tim et Ruth Sheehan, « Too Little to late », *The News and Observer,* 16 février 1997.

VIADERO, Debra, « Brain Trust », *Education Week,* 18 septembre 1996.